Von Bill Knox
sind außerdem im Goldmann Verlag lieferbar:

BILL KNOX

Gestrandet
vor der Bucht

SALVAGE JOB

Kriminalroman

Deutsche
Erstveröffentlichung

Wilhelm Goldmann Verlag

Aus dem Englischen übertragen von
Christine Frauendorf-Mössel

Made in Germany · 6/79 · 1. Auflage · 1110
© der Originalausgabe 1978 by Bill Knox
© der deutschsprachigen Ausgabe 1979 by
Wilhelm Goldmann Verlag, München
Umschlagentwurf: Atelier Adolf & Angelika Bachmann, München
Umschlagfoto: Studio Floßmann, München
Gesamtherstellung: Mohndruck Reinhard Mohn GmbH, Gütersloh
Krimi 4842
Lektorat: Helmut Putz/Melanie Berens
Herstellung: Lothar Hofmann
ISBN 3-442-04842-7

Die Hauptpersonen

Andrew Laird	Agent einer britischen Versicherungsgesellschaft, der sich mit einem gestrandeten Tanker zu beschäftigen hat
Kati Gunn	eine schöne Portugiesin, mit der Laird nicht nur dienstlich bekannt wird
John Amos	bärbeißiger Kapitän des Tankers
Mary Amos	seine prächtige Frau
Harry Novak	Bergungsinspektor, der nur seinen Auftrag kennt – und wenn er dabei über Leichen gehen muß
Jose da Costa	portugiesischer Dunkelmann aus guter Familie
Charles Bronner	sein bester Freund und böser Geist
David Alder	Captain der US-Marine, der die Aufgabe hat, auf diskrete Weise ein russisches U-Boot sozusagen »unter den Teppich zu kehren«
Filipe Ribeiro	portugiesischer Geheimoffizier, auf dessen Diskretion Alder bauen kann

Der Roman spielt teils in und um Porto Esco, einem kleinen Fischerhafen an Portugals Küste, teils auf und unter dem Meer unmittelbar vor dem Städtchen.

I

Auf den Klippen lag flach auf dem Bauch ein Mann. Er hatte eine Schrotflinte und ein starkes kleines Fernglas dabei. Seine schwarze Lederjacke und die braune Cordhose hoben sich kaum von der Farbe der Steine und des trockenen Gestrüpps ab. Das Fernglas hatte er auf das Schiff gerichtet, das unter ihm am Eingang der Bucht auf Grund gelaufen war.

Der lange schwarze Schiffsrumpf des Öltankers glänzte wie ein riesiger gestrandeter Wal in der grellen Sonne. Sein Kiel hatte sich in die felsigen Untiefen am Rand des Kanals gegraben, der die offene See mit der lagunenähnlichen Bucht verband, in der das Fischerstädtchen Porto Esco lag.

Die Ruhe an Deck des Tankers täuschte. Er war nicht verlassen. Ein Beiboot, das gegen den mächtigen Schiffsrumpf beinahe winzig wirkte, schaukelte unter dem Heck auf den Wellen, und an einer zwischen den Bootskränen der Rettungsboote gespannten Leine flatterte Wäsche im Wind.

Der Mann auf den Klippen verlagerte vorsichtig sein Gewicht. Er hatte das Fernglas auf die beiden Männer gerichtet, die Seite an Seite am Bug des Tankers auf die Reling gestützt standen. Den einen kannte er, doch der andere war ein Fremder, dessen Ankunft im Auto er eine halbe Stunde zuvor in Porto Esco beobachtet hatte. Zufrieden senkte er das Fernglas, griff nach dem Gewehr und robbte ins Gebüsch zurück.

In sicherem Abstand zum Klippenrand stand er schließlich auf, steckte das Fernglas in die Tasche, klemmte die Flinte mit geknicktem Lauf in die Armbeuge und ging weiter.

Wenige Minuten später schoß er einen Hasen. Zufrieden schob

er die Beute in den Sack, den er über der Schulter getragen hatte, und marschierte auf direktem Weg durch die Macchia nach Porto Esco.

Neugier hatte ihn auf die Klippen getrieben. Was er im Moment hatte tun können, war getan. Alles Weitere hing von anderen ab. Trotzdem lud er noch im Gehen die Flinte neu. Das war eine alte Gewohnheit, die mit der Jagd auf Niederwild nichts zu tun hatte.

Den Schuß hörten die beiden Männer am Bug des Tankers nur wie einen entfernten Peitschenknall. Kapitän John Amos von der ›Craig Michael‹, die unter liberianischer Flagge fuhr, der anglogriechischen Reederei ›Antarah Line‹ gehörte, und an der Südküste Portugals auf Grund gelaufen war, warf stirnrunzelnd einen flüchtigen Blick zu den Klippen hinüber. Amos war ein kleiner, untersetzter, dunkelhaariger Waliser Anfang Vierzig. In seinem alten Rollkragenpullover, den Jeans und Sandalen sah er kaum wie der Kapitän eines Fünfzigtausendtonnentankers aus.

»Es macht mich also niemand für das Desaster verantwortlich. Das ist ja großartig«, sagte er bitter und fuhr sich mit der Hand durch das an den Schläfen bereits ergraute Haar. »Aber bilden Sie sich wirklich ein, daß man sich daran später noch erinnern wird? Nein, da mache ich mir keine Illusionen. Ich werde der verdammte Waliser Amos bleiben, der sein Schiff auf Grund gesetzt hat.«

»Wir haben alle unsere Probleme, Käpt'n«, bemerkte Andrew Laird gelassen, obwohl er Amos' Gefühle verstand. »Es könnte schlimmer sein.«

Tatsächlich hatte der Sturm, der am ersten April über dem Atlantik und dem Mittelmeer gewütet hatte, für viele weitaus verheerendere Auswirkungen gehabt.

Zwei kleinere Frachtschiffe waren mitsamt ihren Besatzungen untergegangen, andere hatten schwer beschädigt den nächsten Hafen erreicht, und ein Zerstörer der US-Marine war mit völlig verwüsteten Aufbauten und einem Leck im Schiffsrumpf in Lissabon eingelaufen. An der Küste hatte der Orkan Häuser abgedeckt, Bäume entwurzelt und Viehherden dezimiert.

»Das alte Mädchen ist tatsächlich unbeschädigt geblieben«, erklärte Kapitän Amos. »Ihr Kiel hat sich zwar ungefähr zehn Meter weit in die Felsen gegraben, aber es sind nur ein paar Tropfen Wasser reingekommen. Wir haben wirklich verdammt viel Glück gehabt.«

Andrew Laird nickte und starrte über das dreihundert Meter lange Deck zu der Wäscheleine am Heck hinüber. Mit einem Deck, auf dem zwei Fußballfelder Platz gehabt hätten, und einer Breite von dreißig Metern war die ›Craig Michael‹ bei ihrem Stapellauf vor zwanzig Jahren ein Tankerriese gewesen. Inzwischen wurden zwar laufend Supertanker mit zweihundertfünfzigtausend Bruttoregistertonnen gebaut, doch die ›Craig Michael‹ war noch immer ein großes Schiff.

Wie sie den Sturm überstanden hatte, das grenzte jedenfalls beinahe an ein Wunder.

Andrew Laird sah sich um, und die trockene Standortbeschreibung aus der Akte der Clanmore Versicherungsgesellschaft wurde vor seinen Augen lebendig.

Die lange, felsige Halbinsel von Cabo Esco, vierzig Kilometer westlich der portugiesisch-spanischen Grenze, war einer Bucht vorgelagert, welche die Form einer verbogenen Hantel hatte. Die ›Craig Michael‹ hatte bereits vier Monate lang ohne Ladung mit Kapitän Amos und einer Mindestbesatzung an Bord in der äußeren Bucht vor Anker gelegen. Für Tanker der Größenordnung der ›Craig Michael‹ war die Auftragslage schlecht. Im Zeitalter der Supertanker waren Schiffe wie sie für die Reeder beinahe zu einer Belastung geworden, und viele dieser Frachter lagen in der ganzen Welt in irgendwelchen Buchten und Flußmündungen und warteten auf eine Ladung. Und es kam häufig vor, daß sie nur noch zur letzten Fahrt in die Werft ausliefen, wo sie dann abgewrackt wurden.

Fünf Tage zuvor, bei Ausbruch des Sturmes, der sich als unerwartet heftig und heimtückisch erwiesen hatte, hatten riesige

Brecher die Anker der ›Craig Michael‹ losgerissen. Das schwere Schiff war anschließend in die Öffnung des Kanals getrieben worden, der die innere mit der äußeren Bucht von Porto Esco verband, und dort war der Tanker dann auf Grund gelaufen.

Die ›Craig Michael‹ hatte den Rest der Sturmnacht in dieser gefährlichen, ausweglosen Situation verbracht und war erst am folgenden Tag von den Fischern, die mit ihren Booten aus dem Hafen von Porto Esco ausgelaufen waren, entdeckt worden. Sie blockierte teilweise – zum Glück nicht ganz – die Kanalausfahrt zur See. Zwischen dem Heck der ›Craig Michael‹ und der felsigen Halbinsel Cabo Esco konnte gerade noch ein Fischerboot hindurchschlüpfen. Es war ein Wunder, daß der Tanker im Sturm nicht auseinandergebrochen war.

»Ich bin seit zwanzig Jahren Kapitän, und es ist das erste Mal, daß ein Schiff unter meinem Kommando auf Grund läuft; und dann gleich so«, murmelte Amos, als habe er Lairds Gedanken erraten. Der Kapitän lehnte sich mit dem Rücken gegen die Reling und betrachtete seinen Besucher prüfend. Wie fast alle Schiffsführer war auch Amos gegenüber den Leuten von der Schiffahrtsversicherung vorsichtig und reserviert. »Nicht gerade die feinste Art zu stranden, was?«

Andrew Laird lächelte flüchtig. Unter ihnen klatschten die Wellen gegen den Rumpf der ›Craig Michael‹, und Laird konnte durch das klare Wasser die Schatten der Riffe sehen, die an dieser Stelle vom Meeresgrund emporragten. Er spürte die warme Nachmittagssonne auf seinem Rücken, und die durch die lange Fahrt müden Muskeln entspannten sich langsam. Obwohl Amos im Augenblick sicher in anderer Stimmung war, fühlte sich Laird unter dem strahlend blauen südlichen Himmel ausgesprochen wohl.

Laird war groß und breitschultrig, Anfang Dreißig, hatte dichtes braunes, an den Schläfen ebenfalls bereits ergrauendes Haar, grau-grüne Augen und eine durch einen Bruch etwas verunstaltete Nase, die seinem kantigen Gesicht einen beinahe harten Ausdruck verlieh. Der weich geschwungene Mund und das jungenhafte Lächeln straften diesen Eindruck jedoch Lügen. Laird hatte schmale, lange Hände, und er sprach mit leichtem schottischem Akzent.

Amos' prüfendem Blick war auch die lässige Eleganz des braunen Gabardineanzuges nicht entgangen, den Laird zusammen mit einem blauen Oberhemd, einer Strickkrawatte und bequemen Lederschuhen trug. Plötzlich erregte die Messingschnalle mit dem Seemannsabzeichen an Lairds Gürtel Amos' Aufmerksamkeit.

»Sind Sie früher zur See gefahren, Mister?« erkundigte sich der Kapitän neugierig.

»Ja, 'ne Zeitlang«, erwiderte Laird. »Allerdings nie auf Tankern . . .«

Amos nickte zufrieden. »Das habe ich mir beinahe gedacht. Na gut, dann sprechen wir ja dieselbe Sprache. Was haben Sie jetzt vor?«

Laird zuckte mit den Schultern. »Uns liegen bereits die Berichte eines Sachverständigen und des Tauchers vor. Ich mache ebenfalls einen Situationsbericht und schicke ihn an unsere Zentrale nach London. Alles Weitere wird von der Geschäftsleitung mit Ihren Reedern ausgehandelt. Die Höhe des Versicherungsanspruchs kann erst festgelegt werden, wenn wir die ›Craig Michael‹ wieder flottgemacht haben und sämtliche Rechnungen präsentiert wurden. Aber ich glaube nicht, daß es Schwierigkeiten geben wird.«

»Das Flottmachen ist kein Problem«, erklärte Amos zuversichtlich. »Ich bin derselben Meinung wie der Sachverständige. Wenn wir die zehn Tage warten, bis der höchste Frühjahrswasserstand erreicht ist und die ›Craig Michael‹ dadurch noch eine Portion Wasser mehr unter dem Kiel hat, kommt sie von allein wieder los. Ich brauche nur zwei starke Schlepper und einen Bergungsinspektor, der seinen Job versteht, dann können wir wieder in der äußeren Bucht vor Anker gehen.«

»Ja, es hat keinen Sinn, es vorher zu versuchen«, bemerkte Laird.

»Sie meinen wohl, bei einem arbeitslosen Tanker hat's sowieso niemand eilig«, brummte Amos, zog eine altmodische Taschenuhr heraus, warf einen Blick darauf und steckte sie wieder ein. »Kann ich Ihnen sonst noch was zeigen, Mister?«

»Heute nicht mehr«, antwortete Laird.

Amos zögerte. »Sie . . . wissen Sie, daß meine Frau an Bord ist?«

Laird nickte. Es kam oft vor, daß Schiffsoffiziere ihre Frauen auf große Fahrt mitnahmen.

»Um diese Zeit gibt es bei uns meistens Kaffee. Meine Frau möchte Sie kennenlernen . . . natürlich nur, wenn Sie nicht in Eile sind«, fügte Amos hinzu.

»Nein, das bin ich nicht.« Obwohl Laird im Augenblick eher Lust auf ein kühles Bier gehabt hätte, war seine Neugier geweckt. Außerdem war er an einer guten Zusammenarbeit mit dem Kapitän der ›Craig Michael‹ interessiert. »Gehen Sie voraus, Kapitän.«

An einer Bodenluke in der Nähe lehnten zwei Fahrräder. Die meisten Tanker hatten einige Fahrräder an Bord, damit die Besatzung die verhältnismäßig weiten Entfernungen an Deck schneller überwinden konnte. Laird und Amos setzten sich auf die Fahrräder und fuhren los. Die Gummireifen summten leise über die stählernen Deckplatten. Auf ihrem Weg begegneten der Kapitän und Laird einem schlanken, großen blonden Mann, der neben einer offenen Kontrolluke kniete und ihnen freundlich zuwinkte.

»Das ist Jody Cruft, unser Bootsmann«, erklärte Amos, als sie vorbeifuhren. »Er überprüft die Tanks . . . eine unserer Routinearbeiten.«

Dann erreichten sie die hohen Brückenaufbauten im Achterschiff der ›Craig Michael‹, stiegen von den Rädern, stellten sie neben der Tür zum Niedergang ab und betraten eine große kühle Kabine, in der bereits ein Mann in einem Sessel saß und eine Tasse Kaffee trank. Er nickte ihnen flüchtig zu, als eine rothaarige Dame auf sie zukam und sie lächelnd begrüßte.

»Das ist meine Frau Mary«, stellte Amos sie mit einem zärtlichen Unterton in der rauhen Stimme vor. »Mary, das ist Andrew Laird. Für einen Versicherungsagenten macht er einen ganz menschlichen Eindruck.«

Harry Amos schüttelte Laird lachend die Hand. Sie hatte ein sommersprossiges, breites, jedoch noch immer hübsches Gesicht, war ungefähr Mitte Vierzig, trug Jeans und ein Männerhemd und hatte ihr rotes Haar zu einem Pferdeschwanz zusammengebunden. Obwohl sie barfuß war, war sie einige Zentimeter größer als ihr Mann.

»Ich habe, was Sie betrifft, bereits meine Anweisungen, Mr. Laird«, erklärte sie amüsiert. »Ich soll freundlich sein, bis wir wissen, mit wem wir's zu tun haben.«

»Sagen Sie es mir, sobald Sie sich entschieden haben«, erwiderte Laird gelassen.

»Wenn *er* sich entschieden hat«, verbesserte Mary Amos ihn und zwinkerte ihrem Mann zu. »Wie lange werden Sie bleiben?«

»Ein paar Tage . . . das heißt, solange, bis ich meinen Bericht geschrieben habe.« Laird ahnte, was sie in Wirklichkeit wissen wollte. »Im Augenblick sieht es so aus, als gäbe es keine Probleme. Ihren Mann trifft jedenfalls keine Schuld.«

»Gut.« Mary Amos sah ihren Mann erleichtert an und deutete dann auf die Kaffeemaschine. »Wie wär's mit einer Tasse Kaffee?«

»Gern.« Laird bat um eine Tasse schwarzen Kaffee, und während die Kapitänsfrau mit dem Geschirr klapperte, stand der Mann, der bisher stumm in seinem Sessel gesessen hatte, brummend auf. Er hatte eine Glatze, war groß und hager und wesentlich älter als Amos.

»Vielleicht trifft uns keine Schuld, aber 'ne Medaille kriegen wir dafür auch nicht«, sagte er mürrisch. »Die Reeder hätten keine Träne vergossen, wenn wir dem Sturm zum Opfer gefallen wären. Die hätten sich vielmehr auf den Scheck von der Versicherung gefreut.«

»Darf ich Ihnen unseren Zyniker vom Dienst, Andy Dawson,

den Schiffsingenieur, vorstellen«, murmelte Amos.

»Seid ihr vielleicht anderer Meinung?« fragte Dawson mit finsterer Miene. »Natürlich ist die ›Craig Michael‹ ein gutes Schiff. Aber wer will sie schon . . . oder uns?«

»Halt den Mund, Andy«, sagte Mary Amos, während sie Laird einen Becher Kaffee reichte. »Und wenn du das nicht kannst, dann geh raus und spiel irgendwo mit deiner Ölkanne rum. Das ist mein Ernst.«

Dawson starrte sie einen Moment stirnrunzelnd an, zuckte dann mit den Schultern und stellte seinen Kaffeebecher ins Regal.

»Ich hab' sowieso was zu erledigen«, murmelte er, nickte Laird kurz zu und ging.

»Manchmal reitet ihn der Teufel«, seufzte Amos entschuldigend. Er zog eine Packung Zigaretten aus der Tasche, gab seiner Frau eine Zigarette und bot dann auch Laird eine an. »Hier, nehmen Sie. Wir sind im Raucherabteil. Auf dem Tanker gibt's nicht viele davon.«

Laird zündete sich eine Zigarette an und trank einen Schluck Kaffee. »Außer Ihnen sind noch drei Mann an Bord, stimmt's?« fragte er schließlich.

Amos nickte. »Dawson, Jody Cruft, der holländische Bootsmann, und Cheung, unser Mädchen für alles. Cheung ist aus Honkong.« Amos sah stirnrunzelnd seine Frau an. »Wo ist Cheung überhaupt?«

»Unten. Er unterhält sich mit dem Mann, der Mr. Laird mit dem Motorboot hergebracht hat«, antwortete sie und setzte sich in einen Sessel. »Er knüpft gutnachbarliche Beziehungen an.«

»Das kann nicht schaden.« Amos zog an seiner Zigarette und schnitt eine Grimasse. »Seit wir den Kanal blockieren, sind wir bei den Fischern von Porto Esco nicht besonders beliebt. Die Fischerboote kommen zwar noch knapp an uns vorbei, aber wundern Sie sich nicht, wenn die Fischer Schadensersatzansprüche an Ihre Gesellschaft stellen.«

»Weil die Burschen neue Boote wollen?« Laird grinste. »Versuchen können sie's ja.« Doch Laird dachte an etwas anderes.

»Sie haben vorhin gesagt, daß Ihr Bootsmann die Tanks überprüft, Käpt'n. Haben Sie denn keine gründliche Tankreinigung
vorgenommen, bevor die ›Craig Michael‹ außer Dienst gestellt
worden ist?«

»Doch, natürlich, aber darauf sollte man sich nicht hundert-
prozentig verlassen«, erwiderte Amos und starrte selbstvergessen an Laird vorbei. »Ich habe nur einmal gesehen, wie ein Tanker in die Luft geflogen ist, das genügt mir, Mister. Sie wissen
vermutlich, wie das in unserem Geschäft so ist. Der Tanker ist
am sichersten, solange die Tanks voll sind, und es ist am gefähr-
lichsten, wenn sie leer sind.«

Laird nickte. Es sind die heimtückischen Öldämpfe, die ein
Tankerkapitän am meisten fürchtet. Selbst in einem gut gereinig-
ten Tank können aus irgendeiner Pumpe oder einem Rohr noch
diese Dämpfe entweichen, die dann in Verbindung mit Luft in
einem abgeschlossenen Raum ein hochexplosives Gemisch ergeben.

»Sie gehen wirklich auf Nummer Sicher«, sagte Laird leise.

»Würden Sie anders handeln?« Amos grinste. »Außerdem
steht Schwarz Mary nicht. Ich bin ein Gewohnheitstier, und deshalb werden die Tanks täglich auf Gasbildung untersucht.«

Andrew Laird betrachtete Amos anerkennend. Es war keineswegs selbstverständlich, daß ein Kapitän, der mit seinem außer
Dienst gestellten Schiff monatelang irgendwo vor Anker lag,
konsequent die tägliche Wartungsroutine aufrecht erhielt. Laird
runzelte nachdenklich die Stirn.

»Sind Sie schon Schiffsführer auf der ›Craig Michael‹ gewesen,
bevor der Tanker hier . . . sagen wir auf Eis gelegt wurde?«

Amos nickte. »Ja, seit fünf Jahren. Die ›Craig Michael‹ ist das
erste Schiff, das ich als Kapitän bekommen habe.«

»Nicht viele Reeder würden einen Kapitän und drei weitere
qualifizierte Männer auf einem Schiff zurücklassen, das . . .«

»Nicht drei, sondern zwei«, verbesserte Amos den Versicherungsagenten. »Cheung ist eher eine Aushilfskraft.«

»Also gut, zwei«, nickte Laird. »Aber Sie sind an Bord geblieben, und das kostet die Reederei 'ne Stange Geld. Normalerweise läßt man auf einem solchen Schiff ein paar Pensionäre als Wache zurück, das genügt.«

Amos warf seiner Frau einen flüchtigen Blick zu. Diese lachte humorlos.

»Die Antarah Line wirft ihr Geld nicht zum Fenster raus, Mr. Laird«, erklärte sie trocken. »Von dieser Gruppe englischer und griechischer Geschäftsleute könnte selbst die Mafia noch was lernen. Sie haben ihre guten Gründe, meinen Mann an Bord zu lassen.«

Amos nickte. »Chartergeschäfte, Mr. Laird. Das ist jetzt die Devise. Meine Aufgabe ist es, die ›Craig Michael‹ rund um die Uhr startbereit zu halten. Falls jemand dringend einen Tanker braucht, weil ein anderes Schiff in Schwierigkeiten geraten ist, dann springt die Antarah Line ein. Meine Bosse lassen eine kurzfristig zusammengestellte Mannschaft einfliegen.« Amos schien von der Vorstellung nicht begeistert zu sein. »Die Gesellschaft hatte noch zwei weitere Tanker, einen in England und den anderen in Südamerika, in Wartestellung liegen, und beide sind im Augenblick wieder auf Fahrt. Wir kommen auch bald dran . . . eine ›Notcharter‹ bringt verdammt viel Geld.«

»Ich dachte mir schon, daß es sich bei der Antarah Line um keinen wohltätigen Verein handelt.« Laird warf einen Blick auf seine Uhr. Es war kurz vor vier Uhr nachmittags, und das Hauptbüro in London arbeitete nur bis fünf. Er trank seinen Kaffee aus, stellte den Becher beiseite und stand auf. »Danke, daß Sie mir alles gezeigt haben, Käpt'n. Ich muß jetzt nach Porto Esco zurück, komme allerdings morgen wieder.«

»Wir hätten eine Kabine an Bord für Sie herrichten können«, sagte Amos und erhob sich ebenfalls. »Das ist noch immer möglich, falls . . .«

»Ich habe in Porto Escor bereits ein Zimmer vorbestellt«, entgegnete Laird. »Und zwar im Hotel Pousada Pico.«

»Dort sind Sie gut aufgehoben. Es ist das einzige Haus, das man Touristen empfehlen kann . . . das heißt, falls sich mal ein

Tourist hierher verirrt.« Mary Amos drehte sich in ihrem Sessel um und warf ihrem Mann einen halb amüsierten, halb spöttischen Blick zu. »Und man sagt, daß das Pico eine besondere Attraktion hat, stimmt's, John?«

Amos grinste flüchtig, ließ sich jedoch nicht provozieren. Als er Laird zur Tür begleitete, blieb er vor einem Schild mit der Aufschrift ›Sie verlassen die Zone, in der geraucht werden darf‹ stehen und deutete auf einen Aschenbecher. Sie drückten beide die Zigaretten aus und gingen an Deck.

Laird blinzelte geblendet in die grelle Nachmittagssonne und wäre beinahe mit dem blonden Jody Cruft zusammengestoßen, der offensichtlich in die Kajüte wollte. Der Bootsmann trug ein schweres Meßgerät an einem Riemen über der Schulter.

»Alles in Ordnung?« erkundigte sich Amos.

»Ja, ich konnte keine Gasbildung in den Tanks feststellen, Käpt'n«, antwortete Cruft beruhigend, grüßte Laird und verschwand im Niedergang.

Der Kapitän der ›Craig Michael‹ begleitete Laird schweigend bis zur Strickleiter, die zu dem kleinen Motorboot hinunterführte, mit dem der Versicherungsagent gekommen war. Der Bootsführer entdeckte Laird sofort und sagte etwas zu dem kleinen Mann im Overall, der neben ihm im Heck gesessen hatte. Cheung, der Chinese, stand auf, kletterte die Leiter hinauf, zeigte Amos stolz das Netz voller Orangen, die er offensichtlich erstanden hatte, und ging dann in Richtung Küche davon.

»Er macht Tauschgeschäfte«, seufzte Amos müde. »Farben und Schiffsvorräte gegen frisches Obst und Gemüse.« Amos streckte Laird die Hand hin. »Also dann bis morgen.«

»Ich komme am Vormittag«, versprach Laird, schüttelte Amos die Hand und kletterte die Strickleiter hinunter. Als er an Bord des kleinen Motorbootes sprang, hatte der Portugiese bereits die Leinen losgemacht.

Mit knatterndem Motor nahm das Fischerboot Kurs auf Porto Esco. Laird schickte einen letzten Blick hinauf zum Tanker, setzte sich dann auf die Ruderbank und lehnte sich zurück. Sie fuhren den schmalen Kanal entlang in die innere Bucht, in der, da gerade Ebbe war, auf der Nord- und Ostseite das Wasser fast völlig verschwunden war. Am Westufer lagen hinter einer grauen Kaimauer, an der viele kleinere Fischerboote festgemacht hatten, die weiten, flachen Häuser von Porto Esco.

Etwas weiter nördlich konnte Laird die Brücke sehen, die über den Fluß führte. Dieser mündete in die Bucht. An der Nordostseite der Bucht entdeckte Laird zwischen den Sandbänken, die sich in der Ebbe zeigten, einen Streifen tieferen Wassers, hinter dem an der Küste ein alleinstehender Gebäudekomplex lag.

Laird wandte sich an den portugiesischen Bootsführer und deutete zu dieser Uferseite hinüber. »Was ist das dort drüben?«

Der Portugiese folgte Lairds Blick. »Für alte Schiffe«, antwortete er dann. »Eine Werft für alte Schiffe.«

»Eine Abwrackfirma?« Laird hob interessiert eine Augenbraue. »Wem gehört denn die Firma, por favor?«

»Das kommt ganz darauf an, wem Sie diese Frage stellen.« Der Bootsführer spuckte grinsend in den Wind. »Einige behaupten, sie gehört noch immer dem Arbeiterrat, andere meinen, Senhor da Costa und dessen Freund seien die rechtmäßigen Besitzer. Mir ist das gleichgültig. Ich kümmere mich nicht darum.«

Laird drang nicht weiter in ihn. Ausländer waren in Portugal zwar willkommen, aber man erwartete, daß sie in einem Land, das gerade eine mehr oder weniger unblutige Revolution überstanden hatte, nicht zuviele indiskrete Fragen stellten. Sein Blick schweifte zu einem offenen Behälter zu Füßen des portugiesischen Bootsführers, und er konnte nur mit Mühe ein Lächeln unterdrücken. Zwischen rostigem Werkzeug hatte er eine Büchse Milchpulver entdeckt, die aus den Vorratsbeständen eines Schiffes zu stammen schien.

Die privaten Bedürfnisse und Sehnsüchte der Menschen hatten mit Politik nichts zu tun.

*

Kurz darauf machten sie zwischen anderen Fischerbooten am Kai von Porto Esco fest. Laird bezahlte den Bootsführer, stieg die ausgetretene Holztreppe zum Pier hinauf und ging zu dem Parkplatz hinüber, auf dem er den gemieteten gelben Simca abgestellt hatte, mit dem er vom Flughafen Faro nach Porto Esco gefahren war.

Als er den Wagen sah, wurden seine Schritte unwillkürlich langsamer.

Ein bulliger Polizeisergeant lehnte, die Hände in den Hosentaschen, ein Zigarillo im Mundwinkel, an der Motorhaube. Kaum hatte er Laird entdeckt, warf er das Zigarillo fort und legte lässig die Hand zum Gruß an die Mütze.

»Ist das Ihr Auto, Senhor?« erkundigte er sich.

Laird zog prüfend die Luft ein, während er zustimmend nickte. Der Sergeant benutzte eine stark riechende Aftershave-Lotion. Er hatte ein kantiges, grobes Gesicht, trug ein dünnes, schwarzes Oberlippenbärtchen und hatte einen Bauch.

»Kann ich mal Ihren Paß sehen?« Der Sergeant hatte die Daumen in den Ledergürtel gesteckt, an dem ein Gummiknüppel und eine Pistole im Halfter hingen, und wartete gelassen, bis Laird seinen Reisepaß aus der Brieftasche gefischt hatte und ihn ihm reichte. Er blätterte den Ausweis mit undurchdringlicher Miene durch und gab ihn dann Laird mit einem Nicken zurück. »Obrigado. Jetzt bleibt allerdings noch ein kleines Problem.«

»Und das wäre, Sergeant?« fragte Laird höflich, während er den Reisepaß wieder einsteckte.

»Ihr Auto.« Der Sergeant tippte mit seinem glänzend gewichsten Stiefel gegen den rechten Vorderreifen. »Am Pier ist Parkverbot. Und selbst hier in Porto Esco sollte man einen Wagen, in dem sich noch Gepäck befindet, abschließen.«

Laird fluchte unterdrückt, öffnete die Autotür und starrte prüfend ins Wageninnere. Seine Reisetasche stand noch immer unberührt auf dem Beifahrersitz, doch die Plastiktüte mit dem Whisky und den Zigaretten aus dem Duty-free-Shop am Londoner Flughafen war verschwunden. Er schlug seufzend die Tür wieder zu. Laird wußte, daß auch das normale Autoschloß für einen geübten Dieb kein Hindernis war.

»Und fehlt was, Senhor?« erkundigte sich der Sergeant.

Laird schüttelte langsam den Kopf. Er hatte die Erfahrung gemacht, daß es besser war, im Ausland erst dann einen Wirbel zu veranstalten, wenn es der Mühe wert war.

Die Miene des Sergeant wurde freundlicher. »Das nächste Mal haben Sie vielleicht weniger Glück. Bleiben Sie in Porto Esco?«

»Ja, in der Pousada Pico . . . Das heißt, falls ich das Hotel überhaupt finde.«

»Das ist kein Problem. Es liegt am anderen Ende des Kais hinter den Booten dort drüben.« Der Sergeant wurde immer freundlicher. »Da Sie gerade erst angekommen sind, will ich die Sache mit dem falschen Parken vergessen.« Er machte eine bedeutungsvolle Pause. »Ich bin Manuel Ramos. Ich komme jeden Abend kurz in die Bar der Pousada Pico . . .«

»Dann darf ich Sie vielleicht zu einem Drink einladen«, reagierte Laird prompt in der erwünschten Weise.

»Gern, Senhor Laird.« Sergeant Ramos legte erneut die Hand an die Mütze. »Adeus. Ich wünsche Ihnen einen angenehmen Aufenthalt in Porto Esco.«

Sergeant Ramos ging mit einem zufriedenen Lächeln auf den Lippen davon. Laird setzte sich hinter das Steuer seines Simca, und während er langsam in die Richtung fuhr, in die der Sergeant gedeutet hatte, fragte er sich, wie oft Ramos wohl einen Drink aus eigener Tasche bezahlen mußte. Das kleine Touristenhotel Pousada Pico war ein dreistöckiges Gebäude mit Flachdach, weißen stuckverzierten Wänden, schmalen, hohen Fenstern und einer großen ausgeblichenen Markise, unter der auf dem Gehsteig einige Tische standen. Ein paar Gäste tranken Kaffee. Ein Schild wies zum Parkplatz hinter dem Haus, der völlig leer war. Laird stoppte den Simca, entnahm ihm seine Reisetasche und betrat die dunkle Eingangshalle des Hotels durch die Seitentür. Drinnen war es kühl, und als Laird auf den kleinen Empfang zuging, erschien eine Frau in der Bürotür im Hintergrund.

»Senhor?« Sie war Anfang Fünfzig, schlank und hatte große kluge Augen. Ihr pechschwarzes kurzes Haar hatte bereits einige graue Strähnen, doch ihr typisch südländisches Gesicht war noch immer hübsch. Sie trug einen engen schwarzen Rock und eine bunt gemusterte Bluse. »Kann ich Ihnen helfen?«

Er nickte. »Ich habe bei Ihnen ein Zimmer reservieren lassen. Mein Name ist Andrew Laird.«

»Ja, natürlich. Wir haben das Telegramm bekommen.« Sie lächelte und schob das Gästebuch über die Theke. Während sich Laird eintrug, nahm sie einen Schlüssel vom Brett und legte ihn in Lairds Hand. »Zimmer zweiundzwanzig. Die Treppe ist dort hinten rechts.«

Laird nahm wieder seine Reisetasche auf und stieg in den zweiten Stock hinauf. Sein Zimmer lag direkt neben der Treppe, und die Tür stand halb offen. Er stieß sie weiter auf und fühlte gleichzeitig einen Widerstand. Im selben Augenblick ertönte ein unterdrückter Protestschrei.

Laird ging in das Zimmer und blickte hinter die Tür. Das erste, was er sah, waren Mädchenbeine in Blue jeans, die unter dem Bett hinter der Tür hervorragten.

»Tut mir leid«, sagte er. »Ich dachte . . .«

In diesem Moment kam der Rest des Mädchens zum Vorschein, das unter dem Bett gelegen hatte. Sie stand auf und rieb sich ihr Hinterteil. Laird konnte sich ein Lächeln nicht verkneifen.

»Es war meine Schuld«, erklärte sie in fehlerfreiem Englisch. »Sind Sie Senhor Laird?«

»Andrew Laird«, antwortete er nickend. »Man hat mir gesagt, ich habe Zimmer zweiundzwanzig.«

»Dann sind Sie hier goldrichtig«, erklärte das Mädchen freundlich. »Normalerweise liege ich nie unter den Betten fremder Leute, aber mir ist der Schraubenzieher runtergefallen.« Sie zeigte das Werkzeug triumphierend vor. »Ich habe den Stecker Ihrer Nachttischlampe gerade ausgewechselt. Ich glaube, jetzt funktioniert sie wieder.«

»Sind Sie Elektrikerin?« fragte Laird amüsiert und stellte seine Reisetasche ab.

Die junge Dame gefiel ihm. Sie war beinahe so groß wie er, hatte eine ausgezeichnete, sehr weibliche Figur, hellbraunes langes Haar und einen schönen, dunklen Teint. Ihre hohen Backenknochen und der breite, volle Mund machten sie nur noch attraktiver. Zu den blauen Jeans trug sie einen weiß-rot gestreiften Pullover und rote Ledersandalen.

»Ich bin Katarina Gunn . . . Die meisten nennen mich einfach Kati.«

»Sind Sie Engländerin?«

»Ich habe einen Engländer als Vater . . . meine Mutter war Portugiesin . . . Hier gibt's 'ne Menge Mischlinge.« Sie lachte. »Im Augenblick helfe ich hier aus. Senhora da Costa ist meine Tante. Ihr gehört das Hotel. Sie hat Ihnen vermutlich den Schlüssel gegeben.«

Laird hob erstaunt eine Augenbraue. »Sind Sie irgendwie mit diesem da Costa verwandt, dem die Abwrackfirma auf der anderen Seite der Bucht gehört?«

»Das ist Senhora da Costas Sohn.« Kati Gunn runzelte die Stirn. »Mein Cousin Jose . . . Kennen Sie ihn?«

»Nein, ich habe nur von ihm gehört.« Laird wechselte das Thema. »Leben Sie hier in Porto Esco?«

»Nein, ich bin nur zu Besuch hier«, erwiderte sie. »Ich wohne in Lissabon, aber im Augenblick habe ich Ferien.« Sie musterte ihn neugierig aus ihren braunen Augen. »Ihr Telegramm kam aus London. Sind Sie wegen des Tankers im Kanal hier?«

»Ja, ich bin von der Versicherung.« Laird hatte plötzlich eine Idee. »Ich würde übrigens gern den Taucher Jorges Soller kennenlernen. Er ist doch von hier. Jedenfalls hat er die Unterwasseruntersuchung des Schiffsrumpfes gemacht. Wissen Sie, wo ich ihn finden kann?«

»Ja, ich zeig's Ihnen.« Kati Gunn bat Laird, ihr zum Fenster zu folgen, das an der Frontseite des Hotels lag und von dem aus man die gesamte innere Bucht überblicken konnte. Sie öffnete das Fenster, lehnte sich über den Sims und deutete hinunter zu den Booten am Pier. Laird folgte ihrem Blick nur zögernd, denn in dieser Haltung war Kati Gunn viel hübscher anzusehen als Fischerboote. »Sie müssen nach dem Fischerboot ›Juhno‹ suchen. Im Augenblick liegt es nicht am Pier. Jorges macht gewöhnlich hier fest. Er wohnt auf seinem Boot.«

»Wo könnte er jetzt sein?« fragte Laird.

»Wahrscheinlich taucht er irgendwo nach Muscheln. Er verkauft sie an die Andenkenläden.« Kati Gunn drehte sich um. »Ich kann ihm ja was ausrichten, sobald er zurück ist, wenn Sie wollen.«

»Ja. Sagen Sie ihm bitte, daß ich mit ihm sprechen möchte.«

Laird betrachtete weiter die Fischerboote am Pier. Eine schnittige, elegante Motorjacht hatte seine Aufmerksamkeit erregt. Sie war leuchtend blau gestrichen und schaukelte sanft an der Ankerkette. Am Bug stand in weißen Buchstaben der Name ›Mama Isabel‹. »Wem gehört denn die tolle Jacht dort?«

»Meinem Cousin Jose«, antwortete Kati. »Er hat sie nach seiner Mutter benannt. Jose stellt sich gern gut mit ihr.« Kati Gunn trat vom Fenster zurück. »Und ich mache das jetzt lieber auch. Es wird erwartet, daß ich meinen Aufenthalt hier auch verdiene.«

»Sind Sie später noch da?« erkundigte sich Laird.

Kati Gunn nickte lächelnd, ging aus dem Zimmer und schloß die Tür hinter sich.

Laird machte das Fenster zu, zog sein Jackett aus und warf es auf einen Stuhl. Dann legte er sich auf das Bett und sah sich im Zimmer um. Der Raum war blitzsauber, spärlich aber zweckmäßig möbliert und hatte ein kleines Badezimmer mit Waschbecken und Dusche. Während Laird auf die Motorengeräusche der Autos horchte, die ab und zu unten auf der Straße vorbeifuhren, wanderten seine Gedanken wieder zu Kati Gunn, und er kam zu der Einsicht, daß er schon Schlimmeres gesehen hatte.

Neben dem Telefon auf dem Nachttisch stand ein Korb mit frischem Obst. Laird biß in einen Pfirsich und nahm den Telefonhörer ab. Es dauerte nicht lange und Senhora da Costa meldete sich beim Empfang. Laird gab ihr die Nummer in London, mit der er verbunden werden wollte, und legte wieder auf.

Als sein Gespräch kam, hatte er den Pfirsich bereits aufgegessen. Die Telefonistin der Clanmore Alliance verband ihn mit Osgood Morris, dem Leiter der Seeversicherungsabteilung.

»Schön zu wissen, daß Sie noch für uns arbeiten«, meldete sich Morris mürrisch. »Vermutlich sitzen Sie gerade in irgendeiner Bar und lassen es sich gut gehen, was?«

»Natürlich, und ein hübsches Mädchen leistet mir Gesellschaft«, konterte Laird gut aufgelegt. »Nur kein Neid, Osgood. Das paßt nicht zu Ihrem Image.«

Morris fluchte unterdrückt. »Wissen Sie überhaupt, daß mich die Sekretärin des Chefs heute nachmittag schon zweimal angerufen hat und wissen wollte, ob ich schon was von Ihnen gehört habe?«

Laird grinste. Osgood Morris sammelte offensichtlich Punkte für seine mögliche Wahl in den Verwaltungsrat der Versicherungsgesellschaft.

»Schon gut«, sagte Laird beschwichtigend. »Ich bin auf der ›Craig Michael‹ gewesen, habe mit dem Käpt'n gesprochen und die Angaben des Sachverständigenberichts vollauf bestätigt gefunden. Es ist alles okay. Genau, wie Sie gehofft hatten.«

»So, habe ich das«, bemerkte Osgood vorsichtig wie immer. »Kriegt man den Tanker wirklich ohne Schaden wieder frei?«

»Wenn Sie, wie das der Sachverständige vorgeschlagen hat, noch zehn Tage warten, ja. Der Kapitän ist derselben Meinung, und mir scheint es auch das Vernünftigste zu sein.« Laird lehnte sich im Bett zurück. »Ich muß zwar erst noch mit dem Taucher sprechen, der die Unterwasseruntersuchung vorgenommen hat, aber wenn wir Glück haben, brauchen wir dann nur ein paar Schlepper mit erfahrenen Besatzungen und kriegen den Tanker wieder flott.«

»Ja.« Am anderen Ende war es einen Moment still. »Leider sind die Reeder etwas . . . sagen wir ungeduldig. Die Antarah

Line hat heute schon Verbindung mit uns aufgenommen und einigen Unmut durchsickern lassen. Außerdem haben sie uns davon in Kenntnis gesetzt, daß sie einen unabhängigen Bergungsfachmann in Lissabon engagiert und ihn um einen Bericht gebeten haben. Er wird morgen in Porto Esco eintreffen.«

»Warum denn das? Was ist da eigentlich los?« Laird richtete sich abrupt auf. »Osgood, dieser verdammte Tanker rostet seit Monaten an den Ankerketten . . .«

»Andrew, es handelt sich um eine anglo-griechische Gesellschaft«, unterbrach Osgood ihn müde, als sei das Erklärung genug. »Wir kassieren von der Antarah Line 'nen hohen Prämiensatz . . . daran hat mich der Direktor auch schon erinnert. Deshalb müssen wir im Augenblick vorsichtig sein. Wir wollen sie nicht verärgern. Verstehen Sie?«

Laird seufzte. »Hören Sie, Osgood. Falls wir versuchen, den Tanker mit Gewalt wieder flottzumachen, dann haben wir nicht nur ein nagelneues Wrack, sondern auch einen blockierten Kanal und damit die Schadensersatzansprüche sämtlicher Fischer von Porto Esco am Hals.«

»Ich weiß.« Der Gedanke schien Osgood Morris nicht zu gefallen. »Die Risikoversicherung des Tankers beläuft sich auf mehrere Millionen Pfund. Später werden wir sicher eine harte Verhandlungsposition einnehmen müssen, aber im Augenblick verhalten wir uns ihrem Bergungsfachmann gegenüber kooperativ und höflich. Ist das klar?«

»Nein, aber vielleicht verstehe ich's später«, antwortete Laird mürrisch. »Wie heißt der Bursche?«

»Augenblick. Hier steht's. Er ist der Kapitän eines Hochseeschleppers und offensichtlich ein erfahrener Bergungsinspektor.« Morris raschelte einen Moment mit Papieren. »Sein Name ist Kapitän Harry Novak.«

Der Name schlug bei Laird wie eine Bombe ein. Unangenehme Erinnerungen wurden wieder wach. Laird fluchte unterdrückt.

»Kennen Sie ihn?« erkundigte sich Morris erstaunt.

»Ja, ich kenne ihn«, antwortete Laird erbost. »Novak ist ein Dreckskerl.«

Und ein verdammt hartgesottener Bursche, fügte Laird insgeheim hinzu. Harry Novak verstand etwas von seinem Job. Das mußten selbst seine Feinde zugeben. Freunde hatte er nicht.

»Tja, tut mir leid, aber Novak ist Ihr Problem«, erklärte Morris gelassen. »Rufen Sie mich morgen wieder an.«

Morris hatte aufgelegt, bevor Laird noch etwas erwidern konnte. Laird hielt den Hörer noch immer ans Ohr gepreßt und hing bitteren Erinnerungen nach. Dann, kurz bevor er auflegen wollte, hörte er plötzlich eine flüsternde Stimme und ein Knakken in der Leitung.

Offensichtlich hatte jemand in der Vermittlung des Pousada Pico mitgehört und gerade die Leitung ausgestöpselt. Besonders geschickt hatte sich der Lauscher allerdings nicht angestellt.

Laird zuckte gleichgültig die Schultern. Er stand auf, ging zum Fenster und starrte zum Hafen hinunter.

Harry Novak weckte Erinnerungen, die Andrew Laird lieber vergessen hätte. Laird dachte wieder an die Nacht, in welcher der brutale und tyrannische Schlepperkapitän wie ein Kind gewimmert hatte, als der neue Funker Laird ihm eine tiefe Schnittwunde, die über die ganze rechte Gesichtshälfte ging, mit einer einfachen Nadel genäht hatte. Ein Matrose hatte Novak die Verletzung in einem Wutanfall zugefügt, und der Kapitän hatte nie gefragt, woher sein Funker die medizinischen Kenntnisse besaß. Er hatte ihn jedoch von da an, wenn auch zähneknirschend, mit Respekt behandelt.

Laird betrachtete lächelnd die Tätowierungen auf den Rücken seiner Hände, die sich unter den Hemdsärmeln bis zu den Oberarmen fortsetzten. Die eine zeigte einen chinesischen Drachen, die andere einen Anker; beide waren das Ergebnis einer whiskyseeligen nächtlichen Vergnügungstour durch Hongkong. In derselben Nacht war ihm auch die Nase eingeschlagen worden.

Das war vor der Zeit mit Novak gewesen, als Andrew Laird, der Sohn eines Schaffarmers aus dem schottischen Hochland und ein erfolgreicher Medizinstudent im letzten Semester, zur See gegangen war, um damit einen Schlußstrich unter eine Angelegenheit zu ziehen, die er nicht bereute.

Aus Mangel an Beweisen war es zu keiner polizeilichen Untersuchung gekommen. Andrew Lairds Vergehen war es gewesen, dem sinnlosen Leiden seiner Mutter ein Ende zu machen. Man hatte zwar Mitgefühl und Verständnis für ihn gehabt, aber in der Medizin gilt das ungeschriebene Gesetz, daß viel erlaubt ist, wenn man sich nur nicht erwischen läßt. Letzteres war ihm nicht gelungen, und damit waren ihm sämtliche Türen verschlossen gewesen.

Andrew Laird war Matrose und dann Funker geworden und hatte die ersten Monate in diesem Job auf dem Bergungsschlepper von Harry Novak verbracht.

Während seiner Dienstzeit auf dem dritten Hochseeschlepper hatte er ein Mädchen mit grünen Augen und kupferrotem Haar dazu überredet, der christlichen Seefahrt Adieu zu sagen und bei einer Seeversicherung anzufangen.

Sie hatte Maureen geheißen und drei Monate später seinen Verlobungsring für eine Flugkarte nach Kanada versetzt. Maureen war dorthin einem anderen Mann gefolgt und hatte ihm den Pfandschein als Souvenir zugeschickt.

»Zum Teufel mit den alten Geschichten«, sagte er leise und starrte weiter aus dem Fenster.

Andrew Laird arbeitete gern für die Clanmore Alliance und verstand sich meistens auch gut mit Osgood Morris. Falls es zu einer harten Auseinandersetzung mit Harry Novak kommen sollte, dann konnte es ihm eigentlich nur recht sein.

Er zündete sich eine Zigarette an und wollte sich gerade vom Fenster abwenden, als auf der Straße ein großer schlanker Mann in brauner Cordhose und gleichfarbiger Lederjacke seine Aufmerksamkeit erregte. Der Mann war dunkelhaarig und ging geradewegs auf den Liegeplatz der eleganten blauen Motorjacht zu. Im nächsten Augenblick sprang er an Bord der ›Mama Isabel‹, machte die Leinen los, stellte sich ins Cockpit und ließ den Motor aufheulen. Die Motorjacht wendete, und nachdem der schwarzhaarige Mann jemandem an Land zugewinkt hatte, brauste das Schiff über die Bucht davon.

Laird öffnete das Fenster und beugte sich, neugierig geworden, hinaus. Er sah gerade noch, wie Senhora da Costa wieder in der Seitentür des Pico verschwand.

Andrew Laird schnitt eine Grimasse und machte das Fenster wieder zu. Die Leute von Porto Esco hatten gute Gründe, daran interessiert zu sein, was mit dem Tanker geschah, der ihren Kanal zum Meer blockierte. Und für da Costa mit seiner Abwrackfirma stand vermutlich ebenfalls einiges auf dem Spiel. Falls Senhora da Costa ihm erlaubt hatte, Lairds Telefongespräch abzuhören, dann wußte er jetzt bereits mehr als die anderen Einwohner des Fischerstädtchens.

Schließlich wandte sich Laird endgültig vom Fenster ab, öffnete seine Reisetasche und begann auszupacken. Kurz darauf klopfte es an die Tür, und Laird machte auf.

»Hallo, ich bin's nur«, sagte Kati Gunn, kam herein und legte zwei frische Handtücher aufs Bett. »Die habe ich vergessen. Mama Isabel bittet um Verzeihung. Ich habe übrigens Neuigkeiten von Jorges Soller für Sie. Er kommt später zurück als gewöhnlich. Cousin Jose hat erzählt, daß er irgendwo an der Küste einen Tauchauftrag übernommen hat.«

»Die Sache eilt nicht«, erwiderte Laird und deutete auf das Fenster. »Ich habe gerade beobachtet, wie Jose mit seiner Jacht davongefahren ist. Ein verdammt schnelles Boot.«

Das Mädchen nickte unbeeindruckt. »Er behauptet, die ›Mama Isabel‹ sei das schnellste Boot an der ganzen Küste.«

»Wie geht das Geschäft mit seiner Abwrackfirma?« erkundigte sich Laird beiläufig.

»Keine Ahnung«, erwiderte Kati gleichgültig. »Aber Jose überanstrengt sich bestimmt nicht.«

»Dann stört ihn der Tanker also nicht besonders?«

»Bis jetzt hat er noch nichts davon gesagt. Die Fischer werden allerdings schon rebellisch«, erklärte sie grinsend und ging.

Als sich die Tür hinter ihr geschlossen hatte, packte Laird weiter seine Sachen aus. Schließlich stellte er die Tasche weg und entdeckte dabei den Stecker der Nachttischlampe, der noch immer am Kabel lose auf dem Fußboden lag.

Laird bückte sich und steckte ihn in die Steckdose.

Im nächsten Augenblick gab es einen Knall, der Stecker flog wieder heraus, und aus der geschwärzten Plastikhülle drang dunkler Rauch.

Er seufzte kopfschüttelnd.

Kati Gunn mochte andere Talente haben, eine gute Elektrikerin war sie jedenfalls nicht.

2

Es war ein anstrengender Tag gewesen, und Laird konnte der Versuchung nicht widerstehen, sich aufs Bett zu legen, um eine Viertelstunde auszuruhen. Er wachte erst nach einer Stunde wieder auf, als die Sonne bereits tief am Himmel stand. Es roch verführerisch nach Essen, und während sich Laird duschte und umzog, hörte er aus der Küche des Hotels Stimmen und Geschirrgeklapper.

Er fühlte sich frisch und ausgeruht, als er sein Zimmer verließ und in die Hotelhalle hinunterging. Ein Schild wies ihm den Weg zur Bar, und Laird wollte sie gerade betreten, als sein Name gerufen wurde.

»Boa Tarde, Senhor Laird.« Isabel da Costa kam hastig auf ihn zu. Ihr folgte der große schwarzhaarige Mann, den Laird eine Stunde vorher an Bord der ›Mama Isabel‹ gesehen hatte. Es war nicht schwer zu erraten, wer der muskulöse, braungebrannte etwa dreißigjährige Mann war. Jose da Costa hatte die klugen Augen und die feinen Züge seiner Mutter. »Das ist mein Sohn Jose«, stellte ihn Senhora da Costa ohne weitere Umschweife vor. »Er wollte Sie unbedingt kennenlernen.«

»Ich habe bereits von Ihnen gehört.« Laird schüttelte da Costa die Hand. »Außerdem habe ich Sie vorhin mit Ihrem Boot fortfahren sehen. Die Jacht ist verdammt schnell.«

»Ja.« Da Costa verzog keine Miene. »Fahren Sie doch mal mit und probieren Sie die ›Mama Isabel‹ selbst aus.«

»Das tue ich gern«, erwiderte Laird.

»Finden Sie in Ihrem Zimmer alles, was Sie brauchen?« erkundigte sich Senhora da Costa. »Falls Sie noch Wünsche haben . . .«

»Danke, ich bin vollauf zufrieden«, versicherte Laird ihr.

»Sie sind hier ein willkommener Gast, Senhor Laird«, versicherte da Costa ihm. »Wir sind froh um jeden, der uns hilft, diesen verdammten Tanker aus unserem Kanal zu schaffen.«

»Mit der Bergung des Tankers habe ich nichts zu tun«, klärte Laird da Costa auf. »Ich bin nur von der Versicherung.«

»Natürlich . . . ich verstehe.« Da Costa lächelte flüchtig.

»Aber Ihr Urteil wird berücksichtigt werden, falls es zu einer Entscheidung kommt.«

»Nicht immer«, entgegnete Laird vorsichtig. »Wenn Sie geschäftlich mit mir reden wollen . . . Ich kenne Ihre Firma. Aber . . .«

Da Costa grinste breit. »Sie irren, Senhor. Meine kleine Companhia Esco Tecnico möchte keinen Auftrag von Ihnen. Uns zu bitten, diesen Tanker wieder flottzumachen, wäre lächerlich. Genausogut könnte eine Sardine versuchen, einem Wal zu helfen.«

»So kraß hätte ich es nicht formuliert«, sagte Laird nachdenklich.

»Aber das gleiche haben Sie gedacht«, erklärte da Costa. »Nein, ich möchte Ihnen nur einen freundschaftlichen Tip geben. Besonders, da Sie offensichtlich gerade auf dem Weg in die Bar sind.«

»Stimmen Ihre Preise nicht?« fragte Laird gutgelaunt.

Isabel da Costa schien die Bemerkung nicht lustig zu finden, doch ihr Sohn lachte.

»Doch, doch. Aber ich muß Sie vor etwas anderem warnen. Um diese Zeit sind die meisten unserer Gäste Fischer. Möglicherweise möchten sie mit Ihnen über Schadensersatzansprüche reden.«

»Ich werde dafür bezahlt, zuzuhören«, erwiderte Laird gelassen. »Haben Sie nicht auch schon daran gedacht, Ansprüche anzumelden?«

»Noch nicht«, antwortete da Costa offen. »Bis jetzt ist uns durch die ›Craig Michael‹ noch kein Nachteil entstanden. Aber wir müssen bald eine Ladung Schrott abtransportieren, und falls es dabei zu Verzögerungen kommen sollte . . .« Er zuckte mit den Schultern und ließ Laird dabei nicht aus den Augen. »Aber vielleicht wissen wir morgen mehr.«

»Morgen? Warum?« Laird hob erstaunt eine Augenbraue.

»Na, da kommt doch dieser Bergungsfachmann, Kapitän Novak aus Lissabon«, antwortete da Costa, ohne mit der Wimper zu zucken. »Er hat angerufen und ein Boot von mir gemietet. Bei dieser Gelegenheit habe ich erfahren, daß er einen Taucher mitbringen wird, der noch einmal alles genau untersuchen soll.«

»Kapitän Novak versteht sein Geschäft«, erwiderte Laird. Die Sache mit dem Taucher war neu für ihn, doch das ließ er sich nicht anmerken. »Vielleicht sieht er noch andere Möglichkeiten.«

Falls das so war, dann versuchte Laird lieber nicht daran zu denken. Doch da Costa schien zufrieden, und seine Mutter wurde bereits ungeduldig.

»Schon gut, Mama Isabel«, beruhigte da Costa sie. »Ich komme ja schon.«

»Ich muß ihr ein paar Steuerformulare ausfüllen«, erklärte da Costa Laird. »Ich habe ihr meine Hilfe angeboten, und das war ein Fehler von mir.«

»Alles, was mit der Steuer und dem Finanzamt zu tun hat, ist unangenehm«, stimmte Laird ihm ernst zu.

»Richtig, aber es muß nun mal erledigt werden«, seufzte da Costa. »Wir sehen uns sicher noch . . . und falls meine Companhia Tecnico Ihnen irgendwie behilflich sein kann, lassen Sie es

31

mich wissen. Wenn es ums Geld geht, sind wir nicht wähle-risch.«

Damit schob da Costa seine Mutter in ihr Büro, und Laird ging in die Bar. Seine Gedanken wanderten erneut zu Harry Novak. Die Tatsache, daß dieser einen eigenen Taucher mitbrachte, verwirrte ihn. Die Bar lag am Ende eines kurzen Korridors hinter einem südländischen Perlenvorhang. Laird trat ein und setzte sich an den nächsten Tisch. Als er sich umsah, entdeckte er, daß es der einzige freie Tisch war. Die kleine Bar war voll besetzt, doch die lebhafte Unterhaltung hatte bei seinem Eintritt ein abruptes Ende gefunden. Aus dem Radio drang noch die traurige Stimme einer portugiesischen Fado-Sängerin.

Es war eine verhältnismäßig kleine Bar mit nur sechs Tischen, einer Theke und weiteren Tischen draußen auf dem Gehsteig, die ebenfalls besetzt waren. Von den Fenstern aus hatte man einen schönen Blick auf die Bucht. Draußen wurde es bereits langsam dunkel. Die Gäste schienen hauptsächlich Fischer zu sein, die offensichtlich darauf warteten, daß irgend etwas geschah. Der Barkeeper im weißen Hemd gab sich Mühe, Laird nicht zu beachten, und polierte eifrig ein Glas mit einem alten Handtuch.

Laird war bereits auf einiges gefaßt, als sich plötzlich zwei Männer von einem Tisch erhoben und geradewegs auf ihn zukamen. Beide trugen schmutzige Overalls und alte Gummistiefel. Der größere von ihnen war ungefähr vierzig Jahre alt und unrasiert, und er trug einen verbeulten Filzhut auf dem Kopf. Sein Begleiter, ein jüngerer, dicklicher Mann mit einem fetten, pockennarbigen Gesicht, sprach Laird schließlich an.

»Sind Sie von der Versicherungsgesellschaft, bei der der Tanker versichert ist?«

Laird lehnte sich auf seinem Stuhl zurück und nickte.

»Dann müssen wir, por favor, mit Ihnen reden.« Er räusperte sich und sah sich herausfordernd im Raum um. »Als gewählter Vertreter der Fischer von Porto Esco . . .«

»Sie sind gewählt worden?« unterbrach Laird ihn und hob fragend eine Augenbraue.

»Man hat ihn dazu bestimmt, Senhor«, erklärte der kleinere Mann eifrig. »Miguel hat alle gefragt, und . . .«

Ein wütender Blick seines Kameraden ließ ihn verstummen. »Seit der Tanker im Kanal liegt, entgeht uns täglich 'ne Stange Geld«, begann der Jüngere erneut. »Unsere Boote können nicht auslaufen. Das Risiko ist zu groß. Wir fangen keine Fische mehr . . .«

»Und eure Familien müssen Hunger leiden?« ergänzte Laird freundlich. – »Richtig.« Der fette Miguel nickte heftig.

»Ihr glaubt also, ihr könnt Schadenersatz beanspruchen?« fragte Laird mit ruhiger, verständnisvoller Miene.

Beide Männer nickten hoffnungsvoll.

»Dann werde ich euch jetzt mal sagen, was ich davon halte«, fuhr Laird leise fort, und seine Stimme wurde schneidend. »Okay, ihr habt's versucht. Dafür habe ich Verständnis. Aber mit dieser dämlichen Geschichte kommt ihr bei mir nicht durch. Da müßt ihr euch schon was Besseres einfallen lassen.«

»Senhor!« rief der kleinere Fischer wütend und sah seinen Kollegen an. Die übrigen Gäste schienen ebenfalls über die prompte Abfuhr verblüfft.

»Ich möchte euch und euren Freunden einen Rat geben«, erklärte Laird leise, aber bestimmt. »Falls ihr Geld haben wollt, dann versucht gefälligst, dafür zu arbeiten. Der Kanal ist nicht blockiert. Jedes Fischerboot, das hier im Hafen liegt, kommt ohne Schwierigkeiten am Tanker vorbei. Keine Versicherung der Welt würde euch auch nur einen Escudo bezahlen.«

Der fette Miguel stieß einen bösen Fluch aus, schob seinen Kollegen beiseite und stürzte sich auf Laird.

Aber Laird war bereits aufgesprungen und hatte blitzschnell einen Schritt zur Seite getan, so daß der dicke Miguel krachend auf den leeren Stuhl flog. Er rappelte sich laut schimpfend wieder auf, griff hastig nach einer leeren Flasche, die auf dem Nachbartisch stand, und schwang sie wie eine Keule.

Laird machte sich bereits auf den Angriff gefaßt, als Miguel plötzlich erstarrte, an Laird vorbeisah, sich die Lippen leckte und die Flasche langsam wieder sinken ließ.

»Multo obrigado, Miguel«, ertönte eine spöttische Stimme hinter Laird.

Als Andrew Laird sich umdrehte, sah er Sergeant Ramos, der im Türrahmen vor dem Perlenvorhang stand und dann, die Daumen in den Ledergürtel gehängt, langsam durch die Bar schlendert. Er grüßte Laird freundlich, sah sich beinahe gelangweilt im Raum um und wandte sich dann an die beiden ›gewählten Volksvertreter‹.

»Raus!« befahl er kurz und deutete zum Ausgang.

Die beiden Fischer gehorchten mißmutig. Als die Tür hinter den beiden ins Schloß gefallen war, entspannte sich die Atmosphäre wieder merklich. Der Barkeeper drehte das Radio lauter, und die anderen Gäste nahmen ihre Unterhaltung wieder auf.

»Sie sind gerade im richtigen Augenblick gekommen«, sagte Laird erleichtert. »Sergeant, ich wollte Sie sowieso zu einem Drink einladen. Haben Sie jetzt Zeit?«

Sergeant Ramos setzte sich grinsend zu Laird an den Tisch, drehte sich nach dem Barkeeper um und schnippte kurz mit den Fingern. Der Barkeeper brachte ihnen sofort eine Flasche und zwei Gläser.

»Das ist ein Brandy aus der Gegend, Senhor Laird«, erklärte Ramos gutgelaunt, nachdem der Barkeeper wieder hinter der Theke verschwunden war. »Er ist gut und wird Ihnen sicher schmecken. Die Flasche geht . . . hm . . . auf Ihre Rechnung?«

Laird nickte, füllte ihre Gläser und prostete Ramos schweigend zu. Der Brandy war scharf, aber Laird hatte schon Schlimmeres getrunken. Sergeant Ramos leerte sein Glas in einem Zug und goß sich erneut ein.

»Ich bin hergekommen, um mit Senhora da Costa zu sprechen«, berichtete er. »Sie hat mir erzählt, was los ist. Wollten die beiden Kerle Geld von Ihnen?«

»Sie dachten, sie könnten Schadenersatz wegen des Tankers fordern«, antwortete Laird. »Der Dicke hat sich dann ziemlich aufgeregt.«

»Die Burschen sind pequeno . . . völlig unwichtig«, brummte Ramos. »Alles was sie können, ist, am Hafen herumzulungern und die Leute aufzuhetzen.« Ramos schnaubte verächtlich.

»Was ist mit den anderen hier?« Laird deutete auf die Männer an den übrigen Tischen.

»Die meisten sind Fischer . . . einfache Leute, die sich zu allem überreden lassen. Und wer will es ihnen verübeln? Jeder weiß, daß die Versicherungsgesellschaften steinreich sind. Aber nachdem Sie ihnen eine klare Absage erteilt haben, werden sie die Angelegenheit vergessen.« Ramos lehnte sich auf seinem Stuhl zurück. »Alles beobachten, ohne einzugreifen, aber die anderen spüren lassen, daß man genau weiß, was los ist, das ist meine Devise, Mr. Laird.«

»Keine schlechte Methode.« Der Sergeant wurde Laird immer sympathischer. »Aber was ist, wenn es mal wirklich Schwierigkeiten gibt?«

Ramos schnitt eine Grimasse und goß kopfschüttelnd beide Gläser voll.

»Senhora da Costa ist eine reizende und für ihr Alter noch sehr hübsche Frau, finden Sie nicht?« fragte Ramos abwesend.

Laird nickte. »Und geschäftstüchtig.«

»Genau.« Ramos lächelte zufrieden. »Sie ist Witwe. Ihr Mann war Berufssoldat und kam im Angolakrieg ums Leben. Sie und ihr Sohn sind ebenfalls drüben gewesen. Später sind sie dann nach Porto Esco gekommen, sie hat das Hotel übernommen und sich eine neue Existenz aufgebaut.«

»Ich habe auch den Sohn bereits kennengelernt«, bemerkte Laird. »Er scheint ebenfalls ganz erfolgreich zu sein.«

»Sie meinen, mit seiner Companhia Tecnico?« Ramos runzelte die Stirn. »Die ehemaligen Besitzer sind nach der Revolution weggegangen, als die Arbeiterbewegung versucht hat, die Macht an sich zu reißen . . . Dann ist die Begeisterung für die Revolution abgeflaut, und Jose und sein Freund, ein Mann namens Charles Bronner, haben den Betrieb übernommen. Bronner hat Geld und Köpfchen, und Jose . . .« Ramos zuckte mit den Schultern. ». . . jedenfalls erledigt er die Routinearbeiten und spielt mit seinem Boot herum.«

»Bronner? Wo kommt der Mann her?« wollte Laird wissen. Der Name klang nicht portugiesisch.

»Er hat Jose in Angola kennengelernt. Bronner ist englisch-portugiesischer Abstammung.«

»Wie Kati Gunn?«

»Ja, nur nicht so hübsch.« Ramos lachte schallend über seinen Witz, trank sein Glas mit einem Schluck aus und stand auf. »Ich bin noch im Dienst. Auf Wiedersehen, Senhor Laird.«

Laird kippte ebenfalls seinen Brandy, bezahlte, und als er zur Tür ging, lächelten ihm einige Fischer freundlich zu, grüßten jedoch nicht.

Laird durchquerte die kleine Hotelhalle und betrat das Restaurant auf der Rückseite des Gebäudes. Der Speisesaal war groß und kühl, und die Tische waren weiß gedeckt. Andrew Laird setzte sich an einen freien Tisch. Die meisten Gäste schienen wie er auch im Hotel zu wohnen.

Er studierte hilflos die Speisekarte mit den fremden Ausdrükken und war erleichtert, als Kati Gunn im schwarzen Kleid und weißer Schürze aus der Küchentür trat. Sie stellte einige Platten auf dem Nebentisch ab und kam dann zu ihm.

»Was machen Sie hier eigentlich nicht?« erkundigte sich Laird.

»Mama Isabel hat heute zu wenig Personal.« Kati strich sich eine Haarsträhne aus der Stirn und lächelte. »Ich helfe nur aus. Wie funktioniert die Nachttischlampe?«

»Gar nicht«, antwortete Laird grinsend. »Es hat einen Kurzschluß gegeben.«

Kati Gunn seufzte resigniert und deutete auf die Speisekarte. »Nehmen Sie den ›linguada‹. Das ist mit Hackfleisch und Schinken gefüllte Scholle. Mama Isabel nimmt immer etwas zuviel Olivenöl, aber ansonsten kocht sie ausgezeichnet.«

»Gut, bringen Sie mir die Scholle«, nickte Laird. »Haben Sie schon was von dem Taucher gehört, den ich suche?«

»Ja.« Kati Gunn zündete die Kerze auf seinem Tisch an, und Laird roch ihr aufregendes Parfüm. »Jorges Soller ist vor ungefähr einer halben Stunde mit seiner ›Juhno‹ zurückgekommen. Er hat mir ausrichten lassen, daß er entweder auf seinem Boot oder in der Autowerkstatt ›Flores‹ ist. Die Werkstatt liegt an der Hauptstraße am Ende der Bucht.«

»Sobald ich gegessen habe, gehe ich zu ihm. Was für ein Mensch ist er?«

»Ein Einzelgänger. Er arbeitet am liebsten allein. Aber im Gegensatz zu einigen anderen Leuten, denen Sie hier schon begegnet sind, ist er freundlich und umgänglich.« Kati zwinkerte Laird zu. »Mama Isabel hat sich Sorgen um Sie gemacht. Deshalb hat sie Sergeant Ramos in die Bar geschickt. Ramos tut immer, was Mama Isabel sagt. Ich glaube, er hat es auf sie abgesehen. Der Sergeant möchte seinen Lebensabend vermutlich nicht mit seiner kleinen Beamtenpension allein bestreiten.«

Damit verschwand Kati wieder in der Küche. Eine Viertelstunde später brachte ihm der Ober die ›linguada‹, die hervorragend schmeckte. Laird trank ein Glas Bier dazu, nahm jedoch keinen Nachtisch. Als er das Restaurant verließ, bediente Kati Gunn noch immer an den anderen Tischen.

Draußen war es bereits kühl und dunkel. Der Mond schien hell, und vom Meer her wehte ein leichter Wind. Aus einer Bar weiter oben am Hafen drang laute Musik, als Laird die Straße überquerte und langsam am Pier entlangschlenderte. Die meisten Liegeplätze, auch der der ›Mama Isabel‹, waren leer. Schließlich entdeckte er die ›Juhno‹ neben einer schmalen Betonhelling, auf der einige Möven saßen.

Die ›Juhno‹ war ein kleines, älteres Fischerboot, in dessen Nähe es stark nach Dieselöl roch. Über einer Leine, die zwischen dem Ruderhaus und dem Maststumpf im Vorschiff gespannt war, hing ein schwarzer Tauchanzug. Das Boot schaukelte verlassen an den Leinen, und Laird wandte sich ab und ging weiter.

Er genoß die frische Abendluft und wanderte die Straße entlang, die in leichtem Bogen um die Bucht führte. Ab und zu fuhr ein Auto an ihm vorbei, und er gab es schließlich auf, die Boote an den Liegeplätzen zu zählen. Es waren kaum Leute unterwegs, und Laird fürchtete schon, die falsche Richtung eingeschlagen zu haben, als plötzlich die Neonreklame der Autowerkstatt ›Flores‹ vor ihm auftauchte.

Ein Pfeil deutete eine schmale Seitenstraße hinauf. Laird hatte bereits nach wenigen Metern die dazugehörige Tankstelle erreicht. Sie hatte schon geschlossen, aber hinter einer offenen Seitentür brannte Licht. Davor parkte ein Motorrad mit Beiwagen, und als Laird näherkam, hörte er das rhythmische Rattern eines Kompressors.

Laird trat ein und stand plötzlich in der Werkstatt. Hinter einem aufgebockten Lastwagen stand der Kompressor, daneben lehnte ein kleiner, schlanker, aber muskulöser Mann in khakifarbenem Hemd und Hose und überwachte das Füllen von zwei Sauerstoffflaschen eines Tauchgeräts.

Kaum hatte der Mann Laird entdeckt, schaltete er den Kompressor ab.

»Sind Sie Jorges Soller?« erkundigte sich Andrew Laird.

»Sim . . . Ja.« Jorges Soller hatte scharf geschnittene, beinahe arabische Gesichtszüge, spärliches schwarzes Haar und breite, kräftige Hände. Er musterte Laird stirnrunzelnd. »Sie wollten mich sprechen, Senhor . . . Warum?«

»Ich habe Ihren Bericht über die Unterwasseruntersuchungen am Schiffsrumpf der ›Craig Michael‹ gelesen.« Laird bot Soller eine Zigarette an, nahm sich selbst auch eine und gab Soller Feuer.

»Was ist mit meinem Bericht, Senhor? Haben Sie daran was auszusetzen?« Soller zog an seiner Zigarette. »Ich habe geschrieben, daß der Rumpf völlig in Ordnung ist, und das stimmt auch. Um meiner Sache sicher zu sein, habe ich fast einen Tag lang unter Wasser gearbeitet. Ein Wunder, daß die ›Craig Michael‹ unbeschädigt geblieben ist . . . und ich habe schon 'ne Menge Schiffe in ähnlichen Situationen gesehen.«

»So?«

»Ich bin zwölf Jahre lang Taucher bei der portugiesischen Marine gewesen. Da sollte ich genug Erfahrung haben, Senhor«, erklärte Soller.

»Sicher«, pflichtete Laird ihm bei. »Allerdings würde es mich interessieren, warum Sie in Ihrem Bericht keinen Vorschlag gemacht haben, wie man den Tanker wieder flottmachen kann.«

»Der Gutachter aus Lissabon schien in dieser Beziehung seine eigene Meinung zu haben«, antwortete Soller grinsend. »Ich sollte nur den Schiffsrumpf untersuchen . . . und ich kenne Versicherungsgesellschaften, Senhor. Diese Firmen geben genaue Anweisungen . . . Extras kriege ich nicht bezahlt.« Soller fuhr mit der Hand über eine Sauerstoffflasche. »Allerdings habe ich gehört, daß ein anderer Taucher kommen soll.«

»Den hat meine Versicherungsgesellschaft nicht engagiert«, sagte Laird. »Im Augenblick haben wir vor, auf eine richtige Flut zu warten. Dann dürfte die ›Craig Michael‹ aus eigener Kraft wieder loskommen. Was meinen Sie dazu?«

»Das halte ich auch für das beste«, sagte Soller bestimmt.

»Und wenn man es früher versuchen würde?« bohrte Laird weiter.

»Früher?« Soller lehnte sich achselzuckend gegen den Kompressor. »Man könnte es versuchen, aber warum?«

»So, wie die ›Craig Michael‹ jetzt liegt . . . gibt es da . . . Risiken?« erkundigte sich Laird.

»Darüber müßte ich erst mal nachdenken«, murmelte Soller langsam. »Ich . . . tja, ich müßte sie mir ein zweites Mal ansehen.« Er ließ Laird nicht aus den Augen. »Dazu brauche ich Zeit.«

»Keine Angst, Sie bekommen Ihr Geld.« Laird fragte sich, was Osgood Morris und die Rechnungsabteilung der Clanmore Alliance dazu sagen würden. »Wann könnten Sie das machen?«

»Morgen . . . aber erst am Nachmittag. Ich habe im Augenblick viel zu tun.«

»Aber die Sache ist dringend«, erinnerte Laird ihn.

»Ja, ja.« Der Taucher schien wenig beeindruckt. Er deutete auf die Sauerstoffflaschen. »Sobald die Dinger gefüllt sind, muß ich in die Stadt. Dort wartet eine Senhora auf mich, die todunglücklich wäre, wenn ich nicht käme.«

»Sie Glücklicher«, bemerkte Laird. »Wo ist der Mann der Dame?«

»Draußen beim Fischen. Er muß schließlich die Hypothek abzahlen.« Soller blinzelte Laird zu. »Und nach ein paar Stunden Schlaf muß ich einen kleinen privaten Job erledigen . . . einen, der für mich verdammt wichtig ist.« Er schwieg und musterte Laird mit einem seltsamen Ausdruck. »Senhor, ich möchte Sie was fragen. Gibt es außer dem Tanker noch einen Grund, warum Sie hier sind?«

»Nein, warum?« Laird starrte Soller verdutzt an.

»Es hat mich nur interessiert, das ist alles.« Soller zuckte mit den Schultern. Plötzlich schien ihm etwas einzufallen. »Gesetzt den Fall, der andere Taucher ist schon bei der Arbeit, wenn ich zur ›Craig Michael‹ komme – was mache ich dann?«

»Von mir aus könnt ihr dort unten Händchen halten«, entgegnete Laird barsch. »Verrichten Sie Ihre Arbeit, das ist alles, was ich verlange.«

Sollter wandte sich grinsend ab und schaltete den Kompressor wieder ein.

Draußen vor der Werkstatt warf Laird seine halbgerauchte Zigarette weg und machte sich mit dem Gefühl, wenigstens etwas Produktives getan zu haben, wieder auf den Rückweg zum Hotel.

Es war eine herrliche Nacht. Laird schlenderte an der Kaimauer entlang, und das leise Scharren der Bootsleinen und die Musik aus einer der Hafenbars waren die einzigen Geräusche. Die portugiesische Melodie ging ins Ohr, und Laird pfiff mit, als plötzlich das Knattern eines Motors ertönte. Laird sah sich um.

Ein alter Lastwagen fuhr langsam die Straße entlang. Laird setzte seinen Weg unbeirrt fort und hatte kurz darauf den Straßenabschnitt erreicht, wo die Hafenmauer gut zwei Meter hoch war.

Im nächsten Augenblick flammten grelle Autoscheinwerfer auf, und der Motor des Lastwagens heulte auf, als der Fahrer offensichtlich Gas gab. Laird wirbelte herum und sah, wie der Wagen mit hoher Geschwindigkeit auf ihn zuraste.

Da ihm auf der Seeseite die hohe Kaimauer jede Ausweichmöglichkeit versperrte, begann Laird im Zickzack über die Straße zu laufen, während der Lastwagen rasch näher kam und die Scheinwerfer jeder seiner Bewegungen folgten. Als sich Laird schließlich keuchend umsah, war der Kühler so nah, daß er ihn zu spüren glaubte.

In der nächsten Sekunde stolperte Laird über ein Fischernetz und fiel der Länge nach hin. Er versuchte sich noch im letzten Moment zur Seite zu rollen und wußte doch, daß ihn das auch nicht mehr retten konnte.

Doch das Unvermeidliche geschah nicht. Mit quietschenden Reifen drehte der Lastwagen ab, streifte dabei einen Stapel stürzender Fischkisten und war kurz darauf in einer Seitenstraße verschwunden.

Wie benommen nahm Laird wahr, daß er noch lebte. Er versuchte aufzustehen, sackte jedoch wieder in sich zusammen. Sein rechtes Knie war taub vor Schmerzen. Plötzlich erfaßten ihn die Scheinwerfer eines anderen Autos. Ein Kombi hielt neben ihm an, und zwei Männer sprangen heraus.

»Sie, Senhor Laird?« Jose da Costa stieß einen überraschten Fluch aus, beugte sich über Laird und half ihm auf die Beine. »Ist Ihnen was passiert?«

»Ja, aber nichts Schlimmes«, antwortete Laird heiser.

Da Costa atmete erleichtert auf und winkte seinem Begleiter, näherzukommen.

»Wir haben gesehen, was passiert ist, als wir auf die Hauptstraße eingebogen sind.« Da Costa musterte Laird besorgt. »Dieser verdammte Lastwagenfahrer muß einige Gläser Wein zuviel getrunken haben.«

»Was meinst du, Jose?« fragte der andere Mann. Er war mittelgroß und untersetzt, trug einen eleganten dunklen Anzug und sprach mit südafrikanischem Akzent. »Sollen wir ihm nachfahren?« Er deutete in die Richtung, in die der Lastwagen verschwunden war.

»Jetzt? Das wäre Zeitverschwendung.« Da Costa schüttelte den Kopf. »Es sei denn . . .« Er wandte sich an Laird: »Würden Sie den Lastwagen wiedererkennen?«

»Nein, unmöglich«, erwiderte Laird. »Die grellen Scheinwerfer haben mich geblendet.«

»Sie wären beinahe überfahren worden.« Da Costa runzelte die Stirn. Nach einer Pause deutete er auf seinen Begleiter. »Das ist mein Partner Charles Bronner . . .«

»Ich dachte schon, Sie seien ein toter Mann«, äußerte Bronner. »Wenn der Fahrer im letzten Augenblick nicht ausgewichen wäre . . .«

Laird nickte. Er wußte, daß er keine Chance gehabt hätte.

»Sie könnten natürlich zur Polizei gehen«, meinte da Costa, zuckte aber dann mit den Achseln. »Sergeant Ramos' Privatarmee . . . nein. Ich glaube nicht, daß das viel Sinn hätte.«

Bronner brummte zustimmend. »Es ist das beste, wir bringen Sie jetzt ins Hotel zurück. Wir wollten sowieso in diese Richtung.«

Laird folgte ihnen hinkend zu dem cremefarbenen Range-Rover, der vorne drei Sitzplätze hatte. Er setzte sich neben Bronner, der sich hinter das Steuer zwängte, und da Costa nahm auf dem Außensitz Platz.

»Da fällt mir was ein, Senhor Laird«, begann da Costa nachdenklich. »Sie hatten vorhin doch eine Auseinandersetzung mit zwei Fischern . . .«

»Sie meinen . . .« Laird biß die Zähne zusammen, als sie durch ein Schlagloch holperten und der stechende Schmerz in seinem Knie unerträglich zu werden drohte. »Aber dafür fehlen die nötigen Beweise.«

»Leider.« Bronner schaltete in einen höheren Gang. »Vielleicht hat der betrunkene Fahrer uns gesehen und seine Pläne geändert. Jedenfalls haben Sie verdammt viel Glück gehabt, Senhor Laird.«

»Gut war, daß wir gerade vorbeigekommen sind«, ergänzte da Costa. »Bronner wollte unbedingt noch mal zur Companhia Tecnico rausfahren . . . wir sind gerade auf dem Rückweg gewesen.«

»Machen Sie in der Werft Nachtschicht?« wollte Laird wissen.

»Himmel, nein!« Bronner lächelte spöttisch. »Es ist schon schwer genug, die Jungs tagsüber zum Arbeiten zu bringen. Wir hatten ein Problem zu lösen, das ist alles.« Bronner wandte kurz den Kopf und musterte Laird mit kalter Berechnung. »Aber wir stehen in einigen Tagen vermutlich vor ganz anderen Schwierigkeiten . . . Jose hat Ihnen, soviel ich weiß, schon davon erzählt.«

»Sie meinen den geplanten Schrotttransport?« Laird nickte. »Warten wir's ab. Falls tatsächlich was schiefgeht, können wir über eine Schadensersatzzahlung reden.«

»Es wird Ihnen auch gar nichts anderes übrigbleiben«, entgegnete Bronner freundlich. »Ich kenne einen verdammt guten Anwalt.« Er lachte. »Porto Esco muß bisher für Sie ja eine herbe Enttäuschung gewesen sein.«

»Dann kann es ja nur noch besser werden«, bemerkte Andrew Laird.

Kurz darauf hielt der Range Rover vor dem Hotel. Da Costa stieg aus und verabschiedete sich von Laird.

»Gute Nacht, Senhor Laird. Leider haben Bronner und ich noch einiges zu besprechen. Aber falls was passiert . . . oder ich irgendwie helfen kann . . .«

». . . dann lasse ich es Sie wissen«, ergänzte Laird grimmig. »Nochmals vielen Dank.«

Andrew Laird wartete, bis der Range Rover wieder davongefahren war, humpelte dann zur Kaimauer hinüber, setzte sich auf sie und rieb sich das verletzte Knie.

Ob ihn der Mann hinter dem Steuer des Lastwagens umbringen oder ihm nur einen Schrecken einjagen wollte, darüber ließ sich streiten, doch Lairds Überlebenschancen waren für seinen Geschmack in beiden Fällen zu gering gewesen.

Als er Schritte hinter sich hörte, drehte er sich um. Die Seitentür des ›Pousada Pico‹ stand offen, und Kati Gunn kam über den Hof auf ihn zu.

»Ich habe gesehen, wie Sie aus Bronners Wagen gestiegen sind. Sie hinken«, sagte sie mit besorgtem Unterton in der Stimme. »Was ist denn passiert?«

»Ein Betrunkener hätte mich beinahe mit seinem Lastwagen überfahren«, berichtete er. »Bronner und Jose haben mich nach Hause gebracht.« Er sah, daß Kati ihr schwarzes Servierkleid und die weiße Schürze gegen Jeans und Pullover umgetauscht hatte. »Hat Mama Isabel heute wirklich nichts mehr für Sie zu tun?« fragte er lächelnd.

»Meine Tante geht früh schlafen.« Kati setzte sich neben ihn. Ihre Miene war ernst. »So, wie Sie humpeln . . .«

»Es ist offensichtlich die beste Art, Mitleid zu erregen.« Laird schnitt eine Grimasse. »Haben Sie morgen viel zu tun?«

»Ich muß nur das Frühstück servieren, das ist alles.« Kati hob fragend eine Augenbraue. »Warum?«

»Weil ich mir, wenn alles glatt geht, den Nachmittag frei nehmen werde«, erwiderte Laird. »Haben Sie Lust, mit mir einen Ausflug zu machen?«

Kati Gunn nickte lächelnd, zog die Beine an und legte die Arme um die Knie.

»Am Empfang liegt eine Nachricht von der ›Craig Michael‹ für Sie«, verkündete sie dann beiläufig. »Dieser alte Schiffsingenieur und Jody Cruft, der Bootsmann, haben sie persönlich überbracht. Die beiden wollten eine Vergnügungstour machen. Sie haben gesagt, daß Kapitän Amos keine Antwort erwartet.« Kati begann plötzlich zu lachen. »Außerdem habe ich den Stecker an Ihrer Nachttischlampe wieder repariert . . . oder es wenigstens versucht.«

»Großer Gott«, stieß Laird hervor, betrachtete sie eine Weile schweigend und fragte sich dabei, ob sie ahne, welche Versuchung sie im Mondlicht für ihn darstelle. »Womit verdienen Sie Ihren Lebensunterhalt, wenn Sie nicht gerade bei Ihrer Tante aushelfen, Kati?«

»Sie meinen in Lissabon?« Kati fuhr mit dem Finger über die rauhe Mauer. »Ich verkaufe Flugtickets am Schalter einer Luftfahrtgesellschaft. Das ist der Job, bei dem man immer nett lächeln und viel Deodorant verwenden muß. Aber die Bezahlung ist gut, und ich bin froh, daß ich die Stelle bekommen habe.«

»Sind Sie nicht in Angola gewesen?«

Kati schüttelte den Kopf. »Wenigstens nicht bis zum Schluß, wie Mama Isabel und Jose. Meine Eltern sind vernünftigerweise schon einige Jahre früher nach Portugal zurückgekehrt und leben jetzt in der Nähe von Oporto. Mama Isabel ist über die Luftbrücke rausgekommen und konnte nur einen kleinen Koffer mitnehmen. Jose hat es erst Wochen später geschafft.«

»Und was ist mit Joses Freund Bronner?« fragte Laird.

»Sie haben sich in Angola kennengelernt. Bronner war dort als Ingenieur tätig. Mehr weiß ich auch nicht.« Kati lächelte amüsiert. »Bronner hatte das nötige Kapital, um die Companhia Tecnico zu kaufen. Seitdem sind die beiden unzertrennlich. Man hat hier schon die wildesten Vermutungen über die beiden angestellt, bis ein Mädchen aus dem Dorf verschwinden mußte, und ihr Vater Jose so zugerichtet hat, daß er aussah, als habe er einen Autounfall gehabt.«

Irgendwo im Städtchen begann eine Kirchenglocke zu läuten, und Kati Gunn stand auf.

»Elf Uhr . . . Zeit, ins Bett zu gehen«, erklärte sie. Einen Augenblick lang ruhte ihre Hand auf seiner Schulter. »Adeus, Andrew . . . bis morgen nachmittag um drei. Ich werde auf Sie warten.«

Laird beobachtete, wie sie mit ihren langen Beinen schnell über den Hof ging und im Hotel verschwand. Als die Tür hinter ihr zufiel, drehte er sich mit einem Seufzer wieder um und starrte auf die Bucht hinaus.

Ein kleines Fischerboot kam gerade aus dem Kanal in die Bucht herein und umrundete den Landvorsprung, hinter dem die ›Craig Michael‹ lag. Laird dachte einen Moment an Kapitän Amos und seine Frau, die dort praktisch wie Gefangene lebten, und wandte dann seine Aufmerksamkeit erneut dem näherkommenden Fischerboot zu.

Es fuhr tuckernd an Laird vorbei zu einem weiter nördlich gelegenen Platz am Pier. Im Schein einer Petroleumlampe sortierten die Fischer an Deck bereits den Fang.

Laird starrte selbstvergessen auf die ruhige Wasseroberfläche hinaus. Am gegenüberliegenden Strand und auf dem Wasser brannten nur wenige Lichter. Zwei der Lampen schienen die Bootseinfahrt zur Companhia Tecnico zu markieren.

Plötzlich kniff er die Augen zusammen und beugte sich leicht vor. Er hatte sich nicht getäuscht. Hinter den Positionslampen waren andere, kleinere Lichter aufgetaucht. Entweder gehörten sie zu einem Boot, oder es waren die Scheinwerfer eines Autos. Dann hörte er wieder das leise Tuckern eines Motors. Im nächsten Moment waren die Lichter verschwunden, und auch das Motorengeräusch verstummte.

Laird dachte über den seltsamen Vorgang nach und zuckte dann mit den Schultern. Die Sache ging ihn nichts an. Vermutlich waren Bronner und da Costa noch einmal zur Werft gefahren.

Er stand auf, humpelte zum ›Pousada Pico‹ hinüber und ging hinein. Der Empfang war leer. Auf der Theke lag ein weißer Briefumschlag mit seinem Namen. Den Weg über die beiden Treppen in den zweiten Stock hinauf schaffte Laird nur langsam und unter großen Schmerzen. Fluchend schloß er die Zimmertür hinter sich. Sein Bett war aufgedeckt, und die Vorhänge hatte jemand bereits zugezogen.

Laird warf sein Jackett auf einen Stuhl und öffnete den Brief. Die Nachricht von Kapitän Amos lautete kurz und bündig:

»Die Reederei hat uns über Funk mitgeteilt, daß morgen ein Bergungsexperte eintrifft. Bin angewiesen worden, ihm jede erdenkliche Unterstützung zu gewähren. Könnten Sie kommen?«

Laird knüllte den Bogen zusammen und warf ihn in den Papierkorb.

Nachdem er sich ausgezogen und geduscht hatte, verband er sein verletztes Knie und ging quer durchs Zimmer zum Bett. Dort sah er lächelnd auf den Stecker der Nachttischlampe hinunter. Diesmal steckte er bereits in der Steckdose. Laird knipste vorsichtig die Lampe an. Der Stecker sprang mit einem blauen Blitz wieder heraus.

Trotzdem war das schon ein Fortschritt. Andrew Laird schaltete die Deckenbeleuchtung aus, tastete sich durch das dunkle Zimmer zu seinem Bett, in das er sich aufatmend fallen ließ.

Außerdem muß, dachte er, kurz bevor er einschlief, ein Mädchen mit Kati Gunns offensichtlichen Vorzügen nicht alles können.

Kapitän Harry Novak, Schlepperführer und selbsternannter Bergungsexperte, traf am nächsten Morgen in einem gemieteten VW-Bus ein. Er brachte einen portugiesischen Fahrer und zwei Berufstaucher mit Ausrüstung mit.

Es war ein strahlender klarer Tag. Nur einige weiße Zirruswolken hingen am leuchtend blauen Himmel. Andrew Laird lehnte im Schatten des Hoteleingangs und beobachtete mit starrer Miene, wie der VW-Bus vor dem ›Pousada Pico‹ anhielt und seine Insassen ausstiegen. Novak hatte ihn vom Flughafen in Faro angerufen und ihm kurz mitgeteilt, daß er mit dem Auto nach Porto Esco kommen werde.

Allein dieser Anruf hatte Laird bewiesen, daß sich Novak nicht verändert hatte. Und auch jetzt, als Novak neben dem VW-Bus stehenblieb, sah Laird, daß er sich nicht getäuscht hatte. Novak war ein breitschultriger, korpulenter Mann Mitte Vierzig mit dunklem Haar und einem mißmutigen, groben Gesicht. An der rechten Gesichtshälfte hatte er eine lange Narbe. Er trug einen blauen Gabardine-Anzug und ein weißes Hemd ohne Krawatte.

Als Novak Laird entdeckte, nickte er ihm kurz zu und wandte sich dann an die Männer, die hinter ihm aus dem Wagen gestiegen waren.

»Ihr habt genau fünf Minuten, um ein Bier zu trinken«, erklärte er scharf. »Aber bleibt in der Nähe.« Dann ging er direkt auf Laird zu und musterte ihn eingehend mit einem spöttischen Lächeln auf den Lippen. »Sie sind also der Wunderknabe aus der Versicherungsbranche. Große Sache!«

»Nett, Sie wiederzusehen, Käpt'n«, antwortete Laird, ohne die Hände aus den Hosentaschen zu nehmen.

Dabei betrachtete er mit versonnenem Lächeln die Narbe an Novaks rechter Gesichtshälfte. Er hatte damals trotz der widrigen Umstände gute Arbeit geleistet.

»Diese lausigen Nester sehen doch alle gleich aus«, brummte Novak. Lairds Blick schien ihn etwas aus der Fassung gebracht zu haben. »Okay, machen wir einen kleinen Spaziergang. Dabei können wir uns unterhalten.«

»Ausgezeichnet«, stimmte Laird ihm zu.

Sie schlenderten auf den kleinen Fischmarkt zu, wo das Geschäft in vollem Gange war. Laird und Novak zwängten sich zwischen den Buden hindurch bis zu einer ruhigeren Stelle, wo einige Pferdekarren standen.

»Also gut, Laird, eins möchte ich gleich klarstellen«, begann Novak schließlich. »Wir sind beide hier, um einen Job zu erledigen. Aber wir kommen nicht gut miteinander aus, wir gehören nicht zum selben Team, und mir ist das völlig gleichgültig.«

»Verstanden.« Laird nickte. »Ich bin als Beobachter der Versicherungsgesellschaft hier, bei der die ›Craig Michael‹ versichert ist. Die Reederei hat uns benachrichtigt, daß Sie eingeschaltet wurden. Ich habe auch erfahren, daß Sie einen Taucher mitbringen würden . . . und jetzt sind Sie gleich mit zwei Tauchern gekommen.« Er musterte Novak kühl. »Was haben Sie vor?«

»Was ich vorhabe?« Novak grinste. »Mister, darüber können wir erst reden, wenn die Jungs diesen gestrandeten Tanker gründlich untersucht haben.« Er stach mit dem Zeigefinger auf Lairds Brust. »Aber eins können Sie sich hinter die Ohren schreiben: Es ist mir piepegal was Sie oder Ihre Bosse von der

Angelegenheit halten. Nur mein Urteil ist ausschlaggebend.«

»Dann können wir nur hoffen, daß es auch richtig ist«, brummte Laird.

»Worauf Sie sich verlassen können.« Novak lachte. »Sie können ruhig mitkommen und sich alles ansehen. Ich lade Sie ein.«

»Danke, das nehme ich gern an«, erwiderte Laird ruhig und folgte Novak zum VW-Bus.

3

Für die Strecke zur Companhia Tecnico brauchte der VW-Bus knapp zehn Minuten. Die Straße führte rund um die Bucht durch trockenes, felsiges, vegetationsarmes Hügelland und endete vor dem schäbigen Tor des von einem hohen Drahtzaun umgebenen Werftgeländes.

Die Werft war alt und bestand aus einer Ansammlung kleinerer Schuppen und Hellinge, zwischen denen Stapel rostiger Stahlplatten und ausgeschlachtete Schiffsmotoren lagerten. Auf der größten Helling lag eine alte abgewrackte Fähre, die gerade von einigen Arbeitern mit Schweißbrennern zerlegt wurde. Daneben wartete ein Fischkutter, dessen Aufbauten bereits abmontiert waren, auf die Verschrottung.

Der Fahrer des VW-Busses hielt mit quietschenden Reifen vor der Bürobaracke. Noch im selben Augenblick trat Jose da Costa aus der Tür und begrüßte sie mit einem strahlenden Lächeln.

»Ist das Ihr Mann?« erkundigte sich Novak mit einem zynischen Grinsen bei Laird und schwang sich aus dem Wagen.

»Das ist da Costa«, erklärte Laird und konnte sich ein Lächeln nicht verbeißen, als er Bronner hinter da Costa auftauchen sah. »Jetzt ist das Empfangskomitee vollständig. Das ist Bronner, da Costas Partner.«

»Die Burschen kosten mich auch genug«, brummte Novak.

Laird half den beiden Tauchern beim Ausladen ihrer Ausrüstung, und als er auf die Gruppe mit Novak, da Costa und Bronner zutrat, schien sich Kapitän Novak bereits etwas entspannt zu haben.

»Bom dia, Senhor Laird«, begrüßte da Costa ihn und kam lächelnd ein paar Schritte auf ihn zu. »Kapitän Novak hat uns gerade gesagt, daß Sie uns begleiten werden.«

»Nur, wenn noch Platz ist«, erwiderte Laird.

»Natürlich, das ist kein Problem«, versicherte da Costa und musterte ihn aufmerksam. »Aber . . . wie fühlen Sie sich heute? Ich meine nach dem nächtlichen Unfall.«

»Danke, mir geht's gut. Aber wenn ich einen gewissen Lastwagenfahrer in die Finger kriege, geht's ihm schlecht.« Laird meinte, was er sagte. Sein Knie war noch immer steif, die Schmerzen hatten jedoch nachgelassen. »Kommt Bronner auch mit?«

»Nein.« Bronner hatte sein Gespräch mit Novak beendet und wandte sich Laird zu. »Einer von uns muß immer in der Werft sein. Und das . . .« Seine Lippen wurden schmal. ». . . bin meistens ich.«

»Weil er von uns beiden der bessere Geschäftsmann ist«, warf da Costa ein. Er sah an ihnen vorbei zu Novak. »Sind Sie soweit, Käpt'n?«

Novak nickte, und während Bronner ins Büro zurückging, führte da Costa die kleine Gruppe über den Hof zu einem Anlegesteg, vorbei an der ›Mama Isabel‹ zu einem älteren, kleinen Schlepper, aus dessen gedrungenem Schornstein weißer Rauch aufstieg.

»Ist das das Schiff?« fragte Novak verdutzt.

»Ja. Es ist zwar klein, aber verläßlich und ein gutes Boot für Taucher«, erwiderte da Costa.

Sie gingen an Bord. Die Taucher verluden ihre Ausrüstung, und da Costa führte Novak und Laird ins Ruderhaus, wo da Costa das Ruder übernahm. Kurz darauf begann die Maschine des Schleppers zu stampfen, und die Leinen wurden losgemacht. Sie fuhren langsam vom Anlegesteg weg und nahmen Kurs auf die

Bucht.

Neugierig sah sich Laird um, als sie sich immer weiter von der Werft entfernten. Trotz der Sandbank, die zu ihrer Linken die Küste bildete, befand sich der Schlepper offensichtlich in einer tiefen Fahrrinne.

»Die Werft liegt wirklich günstig, was?« sagte da Costa, als hätte er Lairds Gedanken erraten. Er nahm das Steuer herum und brachte das Schiff auf einen neuen Kurs. »Hier ist das Wasser gut sechzig Meter tief.« Er nickte mit dem Kopf. »Als die Werft eröffnet wurde, hatten die Besitzer hochfliegende Pläne . . . Aber in einem Nest wie Porto Esco ließen die sich eben nicht verwirklichen. Bei uns gilt der Spruch: ›Klein aber fein‹. Jede Arbeit muß nur genug Geld zum Leben abwerfen.«

»Wenn ich daran denke, was ich Ihnen bezahlen muß, kann ich dem nur zustimmen«, knurrte Novak, zündete sich eine Zigarette an und starrte schweigend auf die Bucht hinaus.

Kurz darauf ging der Schlepper neben der ›Craig Michael‹ längsseits. Harry Novak lief ins Achterschiff, sprach kurz mit seinen Tauchern, die gerade in ihre Tauchanzüge schlüpften, und kam dann ins Ruderhaus zurück. »Die beiden wissen, was sie zu tun haben«, wandte er sich an Laird. »Also gehen wir.«

Laird folgte ihm die Strickleiter hinauf, während der Schlepper sich wieder langsam vom Tanker entfernte und zum Heck der ›Craig Michael‹ fuhr. An Deck erwartete sie bereits das Empfangskomitee, bestehend aus John Amos, dessen Frau und Andy Dawson. Der hagere alte Schiffsingenieur musterte Novak mißtrauisch, während Jody Cruft und Cheung alles aus einiger Entfernung beobachteten.

»Die Reederei hat mich schon von Ihrer Ankunft benachrichtigt«, sagte Amos zu Novak. »Aber leider weiß ich noch immer nicht, warum man Sie eigentlich geschickt hat.«

»Das werden Sie noch früh genug erfahren«, entgegnete Novak und grinste humorlos. »Hat man Ihnen gesagt, daß Sie mir volle Unterstützung gewähren sollen?«

Amos nickte verdrossen.

»Gut.« Novaks Blick schweifte zu Mary Amos. »Ich habe im Flugzeug gefrühstückt, aber das ist schon verdammt lange her. Ich könnte einen anständigen Kaffee vertragen.«

»Den mache ich Ihnen«, erwiderte Mary Amos freundlich.

»Danach möchte ich mir den Kahn unter fachlicher Anleitung mal ansehen.« Novak wandte sich wieder an Amos und deutete auf Andy Dawson. »Ihn möchte ich später dabeihaben, aber im Augenblick brauche ich ihn noch nicht.«

Amos warf Dawson einen Blick zu. Der Schiffsingenieur schlurfte, Unverständliches vor sich hinmurmelnd, davon. Einen Augenblick lang war es vollkommen ruhig an Deck. Amos fuhr sich mit der Zunge über die trockenen Lippen.

»Was sagt die Versicherung dazu? Habe ich grünes Licht?« erkundigte sich Amos bei Laird.

»Selbstverständlich«, antwortete Laird.

»Und wenn Sie nicht einverstanden wären, würde auch kein Hahn danach krähen«, polterte Novak. »Was ist mit dem Kaffee, Mrs. Amos?«

Die Frau des Kapitäns wurde rot, strich sich nervös eine Haarsträhne aus der Stirn und ging zur Kapitänskajüte.

Die Kaffeepause verlief in äußerst gespannter Atmosphäre, was nur Harry Novak nichts auszumachen schien. Er saß lässig zurückgelehnt in einem Sessel und brüstete sich laut mit den Bergungsjobs, die er schon durchgeführt hatte. Das Schlimme war, daß Laird wußte, daß er in allem die Wahrheit sagte.

»Okay, machen wir uns an die Arbeit«, erklärte Novak schließlich und stand auf. »Käpt'n, ich bin an keiner oberflächlichen Besichtigungstour interessiert, sondern möchte mir den Schiffsrumpf von innen, sämtliche Trimm- und Ballastwassertanks und das gesamte Pumpsystem mal ansehen ... und zwar in dieser Reihenfolge. Während Sie Ihren Schiffsingenieur holen, werde ich mich mal erkundigen, wie weit meine Taucher sind ... dann können wir anfangen.«

Sie ließen Mary Amos allein in der Kajüte zurück und gingen

an Deck. Da Costas Schlepper lag in einigen Metern Entfernung ungefähr auf der Höhe des Mittschiffs der ›Craig Michael‹, und ein Kreis von Luftblasen neben ihrer Bordwand deutete darauf hin, wo ungefähr einer der beiden Taucher gerade arbeitete. Novak stellte sich an die Reling und beobachtete schweigend, was unten geschah, bis Amos mit Andy Dawson zurückkam.

»Falls ich nichts Gegenteiliges sage, dann will ich Tatsachen und keine persönlichen Meinungen hören, merken Sie sich das!« fuhr Novak dann Dawson aus heiterem Himmel an. »Falls Sie mitkommen wollen, bitte. Aber halten Sie gefälligst Ihren Mund.«

Sie kletterten nacheinander die langen Leitern hinunter, die unter Deck führten. Es folgte eine zweistündige, gründliche und für alle Beteiligten anstrengende Schiffsinspektion, und schon lange bevor diese beendet war, ließen sich Kapitän Amos und Dawson anmerken, daß ihre Geduld durch Novaks grobe, rechthaberische Art auf eine harte Probe gestellt wurde.

Andrew Laird mußte in seiner Eigenschaft als unabhängiger Beobachter jedoch zugeben, daß Novak außerordentlich gründlich war. Als sie schließlich auf das Deck zurückkehrten, grinste der Schlepperkapitän über das ganze narbige Gesicht. Die Tatsache, daß da Costa mit dem Schlepper wieder unter der Strickleiter der ›Craig Michael‹ festgemacht hatte, schien seine Laune noch zu heben.

»Ich bin sofort zurück«, verkündete er kurz und schwang sich die Strickleiter hinunter an Bord des Schleppers. Vom Deck der ›Craig Michael‹ aus beobachteten Amos und Laird, wie er ernst mit den beiden Tauchern sprach und dabei eine Karte betrachtete, die er auf einem der Lukendeckel ausgebreitet hatte.

Kapitän John Amos schüttelte verwirrt den Kopf.

»Was soll das denn schon wieder?« fragte er ratlos.

Laird zuckte mit den Schultern. Er ahnte bereits, was Novak vorhatte, schwieg jedoch lieber.

Kurz darauf kam Novak wieder zurück und baute sich selbstbewußt vor Amos auf.

»Kapitän, ich werde Ihren Kahn wieder flottmachen«, erklärte er gelassen. »Und zwar nicht erst in zehn, sondern schon in zwei oder drei Tagen. Dazu hat mich Ihre Reederei nämlich engagiert.«

»Warum haben die's denn plötzlich so eilig?« erkundigte sich Laird, während Amos Novak nur verständnislos anstarrte.

»Sie haben eine verdammt dringende Ladung für diesen Tanker und hätten ihn eigentlich schon vorgestern gebraucht.« Harry Novaks Augen glitzerten. »Die Reederei ist bereit, sämtliche damit verbundenen Risiken zu übernehmen, solange ich der Meinung bin, daß wir den Tanker wieder flottmachen können.«

»Hat die Reederei meine Versicherungsgesellschaft schon davon unterrichtet?« fragte Laird scharf.

»Keine Angst, das wird noch geschehen.« Novak wandte sich absichtlich von Laird ab und sagte zu Amos, der noch immer ganz verwirrt schien: »Die Reederei wird Ihnen alle notwendigen Anweisungen über Funk geben. Das Wichtigste ist, daß Sie schnell hier rauskommen.«

»Ausgezeichnet.« Amos befeuchtete seine trockenen Lippen. »Aber . . . aber wenn was schiefgeht?«

»Es geht nichts schief«, entgegnete Novak kurzangebunden. »Doch falls Ihnen die Sache nicht paßt, kann die Reederei sicher einen anderen Kapitän einfliegen lassen.«

Amos wurde rot und ballte die Hände zu Fäusten. Dann nickte er langsam.

»Was kann ich tun?« wollte er wissen.

»Das beste ist, Sie gehen mir aus dem Weg und überlassen alles mir«, antwortete Novak gelassen. »Morgen treffen hier drei der besten und größten Bugsierschlepper auf dieser Seite des Atlantiks ein. Wir werden zuerst ein paar Riffe wegsprengen, die uns hinderlich sind, und befassen uns dann ein wenig mit Ihren Ballasttanks, damit wir den Kahn richtig austrimmen. Alles übrige ist reine Routinesache. Wir ziehen den Tanker hier mit Leichtigkeit raus.«

»Etwas scheinen Sie dabei übersehen zu haben«, warf Laird ein und deutete auf den schmalen Zwischenraum zwischen dem Heck und dem Felsenufer des Kanals. »Ihre Schlepper werden nur von der Seeseite her arbeiten können. Sie sind zu groß, um durch die schmale Öffnung zu kommen.«

»Das Problem werde ich lösen, Mister. Dafür bezahlt man mich nämlich«, fuhr Novak Laird an. Laird schloß aus der heftigen Reaktion des Schlepperkapitäns, daß er den wunden Punkt des Unternehmens getroffen hatte. Novak hatte sich jedoch schnell wieder in der Hand. Er sah auf seine Uhr. »Ich muß wieder an Land. Sind Sie fertig?«

Laird nickte, doch Amos warf ihm einen hilfesuchenden Blick zu.

»Da ist noch eine Versicherungssache, die ich gern mit Ihnen besprechen würde«, sagte Amos hastig zu Laird. »Es dauert nur ein paar Minuten.«

Novak ließ sich jedoch nicht täuschen und machte kein Hehl daraus.

»Dann beeilen Sie sich gefälligst, Amos«, erklärte er grob und begann die Strickleiter hinunterzuklettern.

Amos wartete, bis er über der Reling verschwunden war, und wandte sich dann besorgt an Laird.

»Ich mußte allem zustimmen«, sagte er unglücklich. »Aber . . . aber was halten Sie von der Sache?«

»Entweder sind Ihre Chefs verrückt oder verzweifelt«, antwortete Laird offen.

Amos nickte und kaute nervös auf seiner Unterlippe. »Was ist mit Novak? Kann er . . .?«

»Sie meinen, ob er ein fähiger Bergungsinspektor ist?« Laird schnitt eine Grimasse. »Ja, er ist sogar verdammt gut.«

»Dann klappt's vielleicht doch«, murmelte Amos ungläubig.

»Hoffentlich«, sagte Laird. »Wir bleiben in Verbindung.«

Laird ließ Amos allein an Deck zurück und stieg zum Schlepper hinunter. Kaum war er an Bord gesprungen, heulte die alte Dieselmaschine auf, der Schlepper drehte ab und nahm Kurs auf Porto Esco.

Im Ruderhaus traf Laird dann da Costa und Novak, der lässig im Türrahmen lehnte und sich mit einem Taschenmesser die Nägel säuberte.

»Gute Nachrichten, was?« erkundigte sich da Costa lächelnd. »Ich meine natürlich für die Fischer und für Leute wie mich . . . Ich habe Kapitän Novak bereits die Hilfe der Companhia Tecnico angeboten.«

»Natürlich zu Höchstpreisen«, warf Novak barsch ein. »Hat sich Amos an Ihrer Schulter ausgeweint?« Er musterte Laird prüfend.

Laird zuckte nur schweigend mit den Schultern. Seine Gelassenheit schien Novak zu ärgern.

»Glauben Sie, ich schaffe es nicht?« wollte er wissen.

»Ich bin kein Bergungsspezialist«, erwiderte Laird ruhig. »Sie sagten, daß morgen drei Schlepper eintreffen?«

Novak nickte. »Zwei kennen Sie. Es sind die ›Scomber‹ und die ›Beroe‹. Die ›Santo Andre‹ ist die dritte im Bunde. Jeder Schlepper verfügt über eine 12 000 PS-Maschine.«

Laird pfiff leise durch die Zähne. Auf der ›Scomber‹ hatte er unter Novaks Kommando als Funker gedient, und dieser Schlepper arbeitete immer in einem Team mit der ›Beroe‹. Von der ›Santo Andre‹ hatte er schon viel Gutes gehört. Plötzlich wurde er mißtrauisch.

»Wo kommen die drei her?« erkundigte er sich unvermittelt.

»Aus Lissabon.« Novak grinste flüchtig.

Da Costa zwinkerte ihm zu, was bedeutete, daß der Portugiese ebenfalls längst gewußt hatte, daß die Entscheidung, die ›Craig Michael‹ wieder flottzumachen, bereits gefallen war, bevor Novak mit seinen Tauchern in Porto Esco eingetroffen war. Laird fluchte unterdrückt.

»Tja, so ist das Leben, Laird«, sagte Novak spöttisch und wandte sich dann an da Costa: »Wir setzen ihn zuerst im Hafen ab. Auf diese Weise kommt er schneller zu einem Telefon.«

*

Wenige Minuten später sprang Laird im Hafen von Porto Esco an Land, und der Schlepper tuckerte in Richtung Werft davon.

Laird stieg zum Pier hinauf und schlenderte zum Hotel zurück. Unterwegs sah er stirnrunzelnd auf die Uhr. Es war beinahe zwölf und eine gute Zeit, um Osgood Morris in seinem Büro bei der Clanmore Alliance in London zu erreichen. Aber zuvor hatte Laird noch etwas zu erledigen. Jorges Soller hatte ihm versprochen, sobald als möglich zur ›Craig Michael‹ hinauszufahren, doch seine ›Juhno‹ lag noch immer an ihrem Platz an der Kaimauer.

Mit langen Schritten lief Andrew Laird am Hotel Pousada Pico vorbei zu dem alten Fischerboot. Die Kajütentür war offen. Als niemand auf sein Rufen antwortete, ging er an Bord.

Er hatte gerade den Niedergang erreicht, als dort zu seiner Überraschung Sergeant Ramos auftauchte. Der Polizist musterte ihn mit undurchdringlicher Miene.

»Wo ist Jorges Soller?« erkundigte sich Laird.

»Nicht da, Senhor Laird.« Sergeant Ramos' Lippen zuckten. »Waren Sie mit ihm verabredet?«

»Nicht ganz, aber er sollte für mich einen Auftrag erledigen.« Laird hatte plötzlich eine böse Vorahnung. »Ist ihm was passiert?«

»Sim . . . ja.« Ramos nickte ärgerlich. »Kommen Sie rein, Senhor. Sie werden sich einen anderen Taucher suchen müssen.«

Laird folgte Ramos gebückt in die Kajüte der ›Juhno‹. Der Raum war klein und schäbig, und es roch nach Dieselöl und alten Essensresten. Der Schrank mit Sollers Tauchausrüstung stand offen, und auf dem Tisch lagen zerstreut einige Papiere.

»Soller ist tot«, berichtete Ramos. »Seine Leiche ist heute morgen an Land geschwemmt worden . . . und zwar, nachdem Sie das Hotel verlassen hatten.«

«Tot?« Laird brauchte einige Augenblicke, um die Nachricht zu verdauen. »Wie ist das passiert?«

»Es scheint ein Tauchunfall gewesen zu sein«, antwortete Ramos förmlich und vorsichtig. »Er trug seine Tauchausrüstung.

Die Todesursache ist uns noch nicht bekannt. Die Autopsie findet gerade statt.« Ramos hielt kurz inne. »Man hat mir gesagt, daß Sie gestern abend noch mit ihm gesprochen haben.«

Laird nickte. »In der Autowerkstatt ›Flores‹. Ich habe ihn gebeten, den Rumpf der ›Craig Michael‹ noch mal zu überprüfen.«

»Und hat er sich dazu bereit erklärt?«

»Ja.«

Ramos runzelte die Stirn. »Hat er sonst noch was zu Ihnen gesagt?«

»Soviel ich weiß, hatte er noch ein Rendezvous und einen anderen Tauchauftrag, bevor er sich dem Job für mich hätte widmen können«, erwiderte Laird.

Sergeant Ramos seufzte und betrachtete kopfschüttelnd das Durcheinander von Papieren auf dem Tisch. »Ich habe die Sachen durchgesehen. Soller scheint mit seiner Taucherei mehr Geld verdient zu haben, als wir alle ahnten.« Ramos sah auf. »Senhor Laird, würden Sie mich ins Leichenschauhaus begleiten? Wir könnten Ihren Wagen benutzen.«

Laird hob fragend eine Augenbraue, nickte jedoch. Ramos schloß hinter ihnen die Kajütentür sorgfältig ab und ging dann in der Mittagshitze voraus zum Pousada Pico. Die wenigen Gäste, die an den Tischen auf dem Gehsteig saßen, beobachteten interessiert, wie sie zum Parkplatz hinter das Haus schritten. Laird schloß gerade die Autotür des gelben Simcas auf, als Isabel da Costa aus der Seitentür des Hotels ins Freie trat.

»Senhora . . .« Ramos strahlte. »Wie Sie sehen, habe ich ihn gefunden. Trotzdem, vielen Dank für Ihre Hilfe.«

»Gern geschehen.« Isabel da Costa lächelte und wirkte dadurch um Jahre jünger. Dann wandte sie sich wieder ernst an Laird. »Sergeant Ramos hat heute morgen nach Ihnen gesucht. Außerdem kamen mehrere Anrufe für Sie aus London . . .«

»Von einem Mann namens Morris?« fragte Laird müde.

Sie nickte. Ihr Blick schweifte jedoch wieder zu Ramos.

»Er wollte Sie unbedingt sprechen«, fuhr sie fort. »Mr. Morris hat dreimal angerufen. Zweimal hat Kati, einmal habe ich mit ihm gesprochen.«

»Ich muß jetzt mit dem Sergeant fort. Falls er wieder anrufen sollte, sagen Sie ihm bitte, daß ich mich bald mit ihm in Verbindung setzen werde.«

Kurz darauf fuhren sie aus dem Hof auf die Straße. Sergeant Ramos warf einen letzten sehnsuchtsvollen Blick auf Isabel da Costa und zündete sich dann ein Zigarillo an.

Die kleine Polizeistation von Porto Esco, ein Gebäude mit dikken Mauern und schmalen Fenstern, lag am anderen Ende der Stadt. Sie parkten den Simca zwischen einem alten Mercedes-Streifenwagen und einem blitzenden neuen Volvo-Kombi.

»Der gehört unserem Doktor«, erklärte Ramos neidisch und deutete auf den Volvo. »Er müßte inzwischen fertig sein.«

In der Polizeistation war es kühl und ruhig. Ramos nickte dem Polizisten, der allein im Bereitschaftsraum hinter einer Schreibmaschine saß, flüchtig zu, bat Laird, ihm zu folgen und ging dann durch die Hintertür zwischen einigen leeren Zellen entlang über einen Korridor zum Leichenschauhaus hinüber.

Dort betraten sie einen büroähnlichen Vorraum. »Warten Sie hier, por favor«, forderte Ramos Laird auf, öffnete eine Tür im Hintergrund und ging hinein. Laird sah noch kurz einen hageren älteren Mann in Hemdsärmeln an einem Schreibtisch sitzen und schreiben. Er hatte ein Glas Wein vor sich stehen, und links neben ihm lag so etwas wie ein geöffneter Picknickkorb. Im nächsten Augenblick hatte sich die Tür hinter Ramos wieder geschlossen.

Andrew Laird hörte, wie sich Ramos mit dem älteren Mann leise unterhielt. Er sah sich aufmerksam im Zimmer um. Auf einer Bank an der Wand lag eine komplette Tauchausrüstung mit zwei weiß markierten Sauerstoffflaschen, wie Laird sie am Vorabend bei Soller gesehen hatte.

Kurz darauf kam Sergeant Ramos mit dem hageren älteren Mann wieder.

»Das ist unser Doktor, Dr. Gomez«, stellte Ramos ihn Laird kurz vor. Dr. Gomez schüttelte Laird die Hand. »Senhor Laird, was hat Soller gemacht, als Sie gestern abend in der Werkstatt bei ihm gewesen sind?«

»Er hat seine Sauerstoffflaschen gefüllt«, antwortete Laird.

»Sind es diese beiden gewesen?« Sergeant Ramos deutete auf die zwei Sauerstoffflaschen auf der Bank.

»Möglich. Sie tragen jedenfalls dieselbe Markierung.«

»Und Soller hat dazu den Werkstatt-Kompressor benutzt?«

Laird nickte und beobachtete, wie die beiden Männer einen flüchtigen Blick austauschten. Ramos schüttelte verwirrt den Kopf, während Dr. Gomez zufrieden lächelte.

»Woran ist Soller gestorben?« wollte Laird wissen.

»In den Flaschen ist kein Sauerstoff, sondern Kohlenmonoxyd gewesen«, antwortete der Arzt. »Das haben meine Blutuntersuchungen ergeben. Allerdings hat mich schon vorher die dunkelrote Gesichtsfarbe des Toten darauf gebracht, daß mit den Flaschen etwas nicht stimmen konnte. Das passiert öfters. Manchmal ist ein Taucher nachlässig, oder der Auspuff des Kompressors hat ein Loch, von dem er nichts weiß. In diesem Fall werden die Auspuffgase des Motors direkt in den Kompressor und von dort in die Flaschen geleitet. Für den Taucher bedeutet das den sicheren Tod.«

»Sie meinen also, daß er in dem Moment, als er diese Flaschen benutzt hat . . .« Laird erinnerte sich an das, was er in seinen medizinischen Vorlesungen gelernt hatte. Kohlenmonoxyd ist völlig farb-, geschmack- und geruchslos und dringt sofort in den Blutkreislauf ein, wobei körperliche Anstrengung den Prozeß nur noch beschleunigt.

»Er muß sich ganz allmählich müde gefühlt haben, dann ist er immer schwächer und schließlich bewußtlos geworden«, erklärte Dr. Gomez.

»Er ist also an einer Kohlenmonoxydvergiftung gestorben«, murmelte Laird.

»Richtig.« Dr. Gomez wandte sich an Ramos: »Der Inhalt der

Sauerstoffflaschen muß natürlich erst noch gründlich analysiert werden.«

Ramos nickte mit finsterer Miene. »Wir werden auch den Kompressor der Autowerkstatt ›Flores‹ überprüfen. Und dann muß ich die üblichen Berichte schreiben.« Ramos fluchte bei dem Gedanken daran unterdrückt. »Dieser Idiot! Er hätte besser aufpassen sollen!«

»Trinken Sie ein Glas Wein mit mir, bevor Sie gehen, Sergeant?« schlug Dr. Gomez mitfühlend vor. »Ich kann Ihnen und Senhor Laird sogar auch ein Sandwich anbieten. Meine Frau packt mir immer viel zuviel davon ein.«

»Hier?« Ramos sah sich angewidert um und schüttelte energisch den Kopf. »Adeus, Doktor. Rufen Sie mich an, sobald Sie den Inhalt der Flaschen untersucht haben.«

Damit führte Ramos Laird wieder in den Bereitschaftsraum der Polizeistation zurück, wo der junge Beamte noch immer an der Schreibmaschine saß.

Ramos lehnte sich mit einem Seufzer gegen die Theke. »Und ich muß jetzt in meinem Bericht erklären, was dieser Idiot Soller nachts um drei draußen in der Bucht zu suchen hatte.« Der Sergeant schlug wütend nach einer Fliege, die sich auf seine Hand gesetzt hatte. »Dr. Gomez schätzt, daß Soller ungefähr gegen drei Uhr morgens gestorben ist. Senhor Laird, sind Sie sicher, daß er um diese Zeit noch nicht für Sie gearbeitet hat?«

»Ganz sicher.« Laird nickte energisch. »Bei dem Job, den er für mich erledigen sollte, brauchte er Tageslicht. Er hätte nicht tief tauchen müssen.«

»Was hat er dann dort draußen gemacht?« Sergeant Ramos kaute nachdenklich auf seiner Unterlippe. »Außerdem haben wir sein Motorrad bis jetzt noch nicht gefunden. Wenn das wieder auftaucht, wissen wir vielleicht mehr.«

»Hat er sich nebenher durch Krebsfang ein paar Escudos verdient?« fragte Laird.

»Um diese Zeit?« Ramos schnob verächtlich. Dann warf er einen Blick auf seine Uhr. »Ich begleite Sie jetzt zum Hotel zurück.

Auf dem Weg will ich mir mal diese verdammte Autowerkstatt ansehen.«

»Benutzen Sie eigentlich nie Ihren Streifenwagen?« erkundigte sich Laird höflich.

»Bei den Benzinpreisen?« Ramos sah Laird entsetzt an.

Die Angestellten der Autowerkstatt ›Flores‹ hatten gerade Mittagspause, was bedeutete, daß sie im Schatten hinter dem Haus saßen und dösten. Sergeant Ramos holte den Vorarbeiter, und mit ihm zusammen gingen sie dann zum Kompressor.

Laird verstand zwar nicht, was Ramos zu dem Mann sagte, aber es war nicht zu übersehen, daß diesem die ganze Angelegenheit überhaupt nicht paßte. Er stand mit finsterer Miene dabei, während Ramos die Maschine sorgfältig untersuchte. Schließlich winkte Ramos Laird näher heran und deutete auf das Auspuffrohr des Kompressors.

»Hier.« Sein Finger tippte auf einen kleinen Riß in dem alten Rohr. »Rost und Abnutzung . . .« Er drehte sich zu dem Vorarbeiter um. ». . . partido. Tem uma Fuga.«

Der Mann schnob wütend. Sergeant Ramos packte ihn an der Schulter und zwang ihn, sich das Loch anzusehen. »Partido!«

»Partido.« Der Mann leckte sich nervös die Lippen, als Ramos ihn wieder losließ.

»Das könnte die Ursache sein«, sagte Laird ruhig. »Das Loch, nahe genug am Einlaßventil. Sobald der Dieselmotor lief . . .«

Sergeant Ramos nickte und redete leise und mit wütender Miene auf den Vorarbeiter ein, dessen Augen sich entsetzt weiteten. Schließlich wandte sich der Sergeant achselzuckend ab.

»Fertig?« fragte Laird.

»Im Augenblick ja.« Ramos nickte. »Ich gehe jetzt in mein Büro zurück. Ich muß nachdenken. Danach sehe ich mir Sollers Boot nochmal an.«

»Wenn Sie das getan haben, würde ich gern sämtliche Notizen haben, die Soller über die ›Craig Michael‹ gemacht hat«, bat Laird. »Oder haben Sie was dagegen?«

»Nein, nichts«, antwortete Ramos geistesabwesend. »Allerdings muß ich Sie bitten, bis heute abend zu warten. Ich habe noch einiges zu erledigen ... und das braucht Zeit.«

Damit ging Sergeant Ramos langsam und nachdenklich davon.

Andrew Laird fuhr mit dem gelben Simca zum ›Pousada Pico‹ zurück, stellte den Wagen auf dem Hof ab und ging in sein Zimmer hinauf. Dort wusch er sich das Gesicht, zündete sich eine Zigarette an und hob den Telefonhörer ab. Er mußte einige Minuten warten, bis sich zu seiner Überraschung Kati Gunn aus der Vermittlung meldete.

»Entschuldigen Sie«, begann sie atemlos. »Ich mußte für Mama Isabel einspringen. Sie ist einen Augenblick rausgegangen.«

»Ich habe nichts dagegen, von Ihnen bedient zu werden.« Laird mußte unwillkürlich lächeln. »Können Sie mich mit Osgood Morris in London verbinden. Er hat schon mehrmals hier angerufen.«

»Ja.« Sie zögerte. »Andrew, ich habe den Nachmittag freigenommen. Aber ich weiß, was mit Jorges Soller passiert ist. Falls Sie also ...«

»Ich habe nur einige Fragen von Sergeant Ramos beantwortet, und nachdem ich mit meinem Boss in London gesprochen haben werde, bin ich frei.« Laird zog nachdenklich an seiner Zigarette. »Haben Sie schon gegessen?«

»Nein, aber ...«

»Dann packen Sie ein paar belegte Brote und eine Flasche Wein ein. Ich bin in fünfzehn Minuten fertig. Okay?«

»In zwanzig Minuten«, entgegnete sie. »Ich muß mich noch umziehen. Jetzt verbinde ich Sie mit London.«

Kurz darauf meldete sich Osgood Morris. Er schien schlecht gelaunt zu sein.

»Wo sind Sie gewesen?« erkundigte er sich barsch.

»Zuerst auf der ›Craig Michael‹ und dann im Leichenschauhaus«, antwortete Laird. »Ein Taucher, den ich engagiert hatte, ist gestorben.«

»Ist das passiert, während er für uns gearbeitet hat?« fragte Morris besorgt.

»Nein.« Laird hörte, wie Morris erleichtert aufatmete. »Osgood, wissen Sie eigentlich, was hier vor sich geht?«

»Gleich heute morgen ist der Anwalt der Antarah Line hier aufgekreuzt. Er wollte den Direktor sprechen, und der Direktor hat mich hinzugezogen.«

»Und?«

»Wir sind mit allem einverstanden. Sie werden auf eigenes Risiko versuchen, den Tanker wieder flottzubekommen. Solange ist der Versicherungsschutz aufgehoben. Dafür stellt die Reederei im Zusammenhang mit der Strandung der ›Craig Michael‹ keine Schadensersatzansprüche. Obwohl der Schiffsrumpf nicht beschädigt ist, sparen wir auf diese Weise ein paar tausend Pfund«, erklärte Morris mit einer Ausführlichkeit, die Laird ärgerte.

»Aber was, um Himmels willen, wird hier eigentlich gespielt?« erkundigte sich Laird wütend. »Novak hat für morgen drei Hochseeschlepper bestellt und will, wenn nötig, eine Sprengung vornehmen.«

»Und die Antarah Linie hat eine hochbezahlte Ladung für die ›Craig Michael‹, vorausgesetzt, sie können den Tanker in den nächsten vier Tagen wieder flottmachen«, sagte Morris. »Sobald das Schiff wieder Wasser unter dem Kiel hat, bekommt es von uns vollen Versicherungsschutz. Für uns ist das ein gutes Geschäft. Jedenfalls müssen wir bezüglich der Bergung kein Risiko übernehmen.«

»Wer will die ›Craig Michael‹ chartern?«

»Das hat uns die Reederei bisher verschwiegen«, antwortete Morris. »Der Anwalt hat etwas von ›Geschäftsgeheimnis‹ gefaselt. Schließlich gibt's auf dem Markt zur Zeit 'ne Menge unausgelasteter Schiffe.«

»Konnten Sie sich nicht umhorchen?« fragte Laird. Osgood Morris war sonst immer unglaublich gut informiert.

»Tja . . . ich habe da etwas flüstern gehört«, erwiderte Morris zögernd. »Einige der Direktoren der Antarah Line sind gestern beim russischen Handelsattaché in London zum Essen eingeladen gewesen . . . und wenn's ums Geschäft geht, dann zahlen die Russen in harten, altmodischen, kapitalistischen Dollars.«

»Na, ist ja großartig«, bemerkte Laird bitter. »Was soll ich also tun? Zurückkommen?«

»Nein«, erwiderte Morris überraschenderweise. »Bleiben Sie an Ort und Stelle . . . sozusagen als Beobachter. Schließlich haben wir ein Interesse zu wahren, wenn wir das Schiff bei uns versichern, nachdem Ihr Freund Novak es wieder flottgemacht hat.«

»Und wenn die Sache schiefgeht und die ›Craig Michael‹ als Wrack im Cabo Esco Kanal liegenbleibt?«

»Dann reisen Sie so schnell wie möglich ab. In diesem Falle interessiert uns die Sache nicht mehr«, erklärte Morris prompt.

Im nächsten Moment hatte er aufgelegt. Leise fluchend wartete Laird noch einen Augenblick, bevor er auch auflegte. Diesmal schien niemand mitgehört zu haben. Das bedeutete entweder, daß Kati noch in der Vermittlung saß, oder daß die Familie da Costa das Interesse an ihm verloren hatte.

Als Laird wenige Minuten später in den Hof hinter dem Hotel kam, lehnte Kati Gunn an dem gelben Simca. Sie sah in ihrem pastellfarbenen schulterfreien Kleid bezaubernd aus. Ihr Haar hatte sie mit einem passenden Tuch zurückgebunden. Auf der Motorhaube stand ein Picknickkorb.

»Wo fahren wir hin?« fragte sie, als er die Wagentür aufschloß und den Korb auf dem Rücksitz verstaute.

»Das überlasse ich Ihnen.« Laird drückte ihr die Autoschlüssel in die Hand und machte es sich auf dem Beifahrersitz bequem. »Es sollte nur ein friedlicher, abgeschiedener Ort sein.«

Kati Gunn sah Laird einen Augenblick nachdenklich an, setzte sich dann schweigend hinter das Steuer und ließ den Motor an.

*

Zuerst fuhren sie ein Stück landeinwärts durch ein schönes, typisch südliches Hügelland mit Pinien, Macchien und vereinzelten steinigen Anbauflächen.

Kati Gunn summte eine hübsche Melodie, während sie den Wagen geschickt und schnell über die kurvenreiche Straße lenkte.

Schließlich bog sie in eine Seitenstraße ein, die in östlicher Richtung weiterführte und auf der sie ab und zu einem Pferdekarren oder einer Frau auf einem Esel begegneten. Nach einigen Kilometern fiel die Straße steil zur Küste hin ab, und hinter der nächsten Kurve tauchte plötzlich das strahlend blaue Meer auf.

Die Gegend war vollkommen einsam, als Kati auf einem schmalen, steinigen Weg das letzte Stück zur Küste hinunterfuhr und im Schatten eines überhängenden Felsens anhielt. Als sie mit ihrem Picknickkorb ausstiegen, huschten kleine Eidechsen davon, und um einen gelbblühenden Busch summten Insekten. Nur wenige Kilometer von der Hauptstraße entfernt lag vor ihnen eine traumhafte kleine sandige Bucht.

»Gefällt es Ihnen?« fragte Kati.

Laird nickte und atmete tief ein. Es roch herrlich nach Sonne, Meerwasser und den Gewürzen, die überall an den südlichen, trockenen Hängen wachsen.

»Ich dachte immer, an allen diesen herrlichen Flecken müßte ein Touristenhotel mit Swimming-pool stehen«, murmelte Laird, während sie zum Sandstrand hinunterschlenderten.

»Jose hat mir die Bucht gezeigt.« Katis Augen blitzten. »Er wollte engere Familienbande knüpfen, aber dabei hat er sich die Finger verbrannt. Jetzt ist er geheilt.« Sie deutete aufs Meer hinaus. »Das ist der Golf von Cadiz, und dahinter liegt Spanien.«

Laird nickte. Sie waren nur wenige Kilometer von der spanisch-portugiesischen Grenze entfernt. Die spanische Küste zeigte sich als ein dünner Streifen am Horizont, und davor erkannte Laird einige dunkle Punkte. Das mußten Schiffe sein.

Sie blieben auf einem flachen Felsplateau stehen, das ein Stück weit ins Wasser ragte. Als Laird den Picknickkorb abstellte, hatte

Kati bereits die Schuhe ausgezogen und watete ins Wasser.

Plötzlich sah sie ihn lächelnd an, zog ihr grünes Kattunkleid aus, unter dem sie einen braunen Bikini trug, der ihre ausgezeichnete Figur gut zur Geltung brachte, drehte sich um und sprang ins Wasser.

Laird hatte seinen Hunger vergessen. Ohne Kati aus den Augen zu lassen, zog er sich auch aus und schwamm ihr nach.

Nach einigen kräftigen Zügen hatte er sie eingeholt. Kati drehte sich lachend nach ihm um, tauchte unter und kam ein Stück weiter plötzlich wieder zum Vorschein.

Sie spielten eine Weile wie ausgelassene Kinder im warmen klaren Wasser. Dann tauchten sie auf einmal dicht nebeneinander auf. Laird legte die Arme um Kati, und ihre Lippen trafen sich sehnsüchtig und entschlossen. Kurz darauf schwammen sie zum Ufer zurück.

Hand in Hand gingen sie an den Strand. Der Sand neben dem Felsplateau war weich und warm, und die Welt um sie versank in einem zärtlichen Verlangen, wie Andrew Laird es kaum je zuvor empfunden hatte.

Später lagen sie stumm nebeneinander. Katis Augen leuchteten, als sie mit dem Finger sanft den Linien des tätowierten Drachen auf Andrews Arm nachfuhr.

»Bist du böse, wenn ich dir jetzt etwas sage, das du vermutlich nicht hören willst?« erkundigte sie sich unvermittelt.

»Schieß los!« Er drehte sich zur Seite und sah sie an.

»Ich habe Hunger.«

Andrew grinste, küßte sie und beobachtete, wie sie in ihr grünes Kattunkleid schlüpfte. Während sie dann den Picknickkorb auspackte, zog Laird sein Hemd und die Hose an. Er wollte gerade einen Schuh zubinden, als ein seltsames Glitzern am felsigen Abhang über der Bucht seine Aufmerksamkeit erregte. Ohne die Felswand aus den Augen zu lassen, schlüpfte er auch in den zweiten Schuh.

Im nächsten Moment blitzte dort erneut Metall in der Sonne, und die Äste eines Busches bewegten sich für die leichte Brise, die vom Meer her wehte, unnatürlich heftig.

»Kati«, sagte er leise. »Erschrick nicht. Ich glaube, wir haben Gesellschaft bekommen, und ich will mal nachsehen, was da los ist.«

Kati hielt einen Augenblick in ihren Bewegungen inne, dann nickte sie kaum merklich und wickelte ein Paket Sandwiches aus. Die Hände in den Hosentaschen, schlenderte Laird den Sandstrand entlang auf die Stelle zu, wo sie den Simca geparkt hatten. Dabei kam er an dem Abhang vorbei. Ungefähr auf der Höhe, wo er das Glitzern von Metall gesehen hatte, wirbelte er herum und begann hastig den Fels hinaufzuklettern.

Er hatte kaum einige Meter auf diese Weise zurückgelegt, als er über sich einen unterdrückten Fluch und das Brechen trockener Zweige hörte. Laird warf sich im nächsten Moment geistesgegenwärtig flach hinter einem Stein zu Boden, als ein Schuß fiel. Die Kugel traf eine schmale Felskante über ihm, und die feinen Steinsplitter rieselten auf ihn herunter. Als er vorsichtig den Kopf hob, zischte eine zweite Kugel so dicht an ihm vorbei, daß ihn ein Steinsplitter im Gesicht traf.

Laird sah zum Strand hinunter. Kati war aufgesprungen und starrte entsetzt zu ihm herauf. Er machte ihr ein Zeichen, sich nicht von der Stelle zu rühren, und wartete mit angehaltenem Atem.

Die Minuten schleppten sich dahin. Dann fiel ein dritter Schuß, jedoch bereits in größerer Entfernung. Kurz darauf hörte er einen Motor aufheulen und das Knirschen von Reifen auf Kies.

Fluchend rannte Laird die Anhöhe hinauf. Als er oben ankam, sah er gerade noch ein Motorrad um die nächste Kurve verschwinden. Den Fahrer konnte er nicht mehr erkennen.

Schwer atmend blieb Laird stehen, bückte sich und hob zwei Messing-Patronenhülsen auf, die neben einem Busch lagen. Sein Mund wurde zu einer schmalen Linie, als er die Munition eines Jagdgewehrs, Kaliber 5,5, erkannte. Plötzlich fiel ihm ein, daß der Beobachter drei Schüsse abgegeben hatte. Er lief zu seinem

Simca. Der rechte Vorderreifen war platt. Eine Kugel hatte sich durch den Gummimantel gebohrt. Laird seufzte resigniert und ging zu Kati zurück. Sie war bleich und hielt die Weinflasche wie eine Waffe in der Hand.

»Du brauchst keine Angst mehr zu haben«, sagte Laird beruhigend. »Hunger habe ich allerdings immer noch. Komm, essen wir was.«

4

Am frühen Abend kamen sie dann nach Porto Esco zurück. Der Reifenwechsel war anstrengend und mühsam gewesen, aber schließlich hatte Laird es geschafft.

Auf der Rückfahrt hatte Laird das Steuer übernommen. Sie redeten fast nur über das, was passiert war, und Kati wollte den Vorfall unbedingt Sergeant Ramos melden. Als Laird versuchte, ihr das auszureden, starrte sie ihn fassungslos an.

»Andrew, das ist doch Unsinn. Was würdest du denn machen, wenn dieser Scharfschütze dich getroffen hätte?« fragte Kati, während sie die Hauptstraße nach Porto Esco hinunterfuhren.

»Dann bräuchte ich jetzt einen Arzt und keinen Polizisten«, erwiderte Laird geduldig. Schließlich spielte er seinen Trumpf aus. »Wenn du Ramos alles erzählst, dann geht er sofort mit der Geschichte zu deiner Tante. Wolltest du ihr etwa weismachen, daß wir die ganze Zeit über in der Bucht nur die schöne Landschaft bewundert haben?« Er mußte unwillkürlich lachen.

Kati schimpfte leise vor sich hin und lenkte dann doch ein.

»Wir unternehmen also gar nichts?« erkundigte sie sich.

»Wir sagen nichts«, verbesserte Laird sie. »Wenn mich nicht alles täuscht, dann hat mich heute jemand beschattet. Daß der Mann auch noch ein Voyeur gewesen ist, war reiner Zufall.«

»Und deshalb ist alles halb so schlimm, was?« entgegnete sie ärgerlich. »Trotzdem, warum sollte dir jemand gefolgt sein?«

Laird zuckte mit den Achseln. »Weil einige Wirtschaftsbosse irgendein schmutziges Geschäft mit der ›Craig Michael‹ vorhaben.« »Und du bist darin verwickelt?«

»Offensichtlich scheint man das anzunehmen«, erwiderte er seufzend.

Kati lehnte sich in die Polster zurück, als sie die ersten Häuser von Porto Esco erreicht hatten, und die restliche Fahrt schwieg sie. Laird parkte den Simca hinter dem Hotel. Als Kati die Tür auf ihrer Seite öffnen wollte, legte er die Hand auf ihren Arm.

»Kati, es ist ein wunderschöner Nachmittag gewesen«, sagte er leise. Sie strich zärtlich über seine Hand und nickte lächelnd.

Kurz darauf betraten sie die kühle Empfangshalle des Pousada Pico. Noch im selben Augenblick erhoben sich von der Couch am anderen Ende des Raumes zwei Leute.

»Mr. Laird«, ertönte Kapitän Amos' heisere Stimme. Amos kam auf Laird zu, während seine Frau im Hintergrund wartete. »Kann ich Sie einen Augenblick sprechen?«

Laird warf Kati einen überraschten Blick zu. Das Mädchen nickte verständnisvoll, murmelte eine Entschuldigung und ließ sie allein. Kapitän Amos sah ihr nervös nach, bis sie durch eine Seitentür verschwunden war.

»Verzeihen Sie die Störung«, begann er verlegen. »Aber . . . ich wußte nicht, an wen ich mich sonst hätte wenden sollen. Deshalb haben Mary und ich hier auf Sie gewartet.«

»Okay, reden wir.« Laird führte Amos zu der Couch zurück, auf der Mary Amos schweigend saß. Sie trug ein einfaches Sommerkleid und sah müde und abgespannt aus. Erst in diesem Augenblick bemerkte Laird den roten Striemen auf Kapitän Amos' linker Backe.

»Setzen Sie sich«, forderte er das Ehepaar auf. »Also, was ist passiert?«

»Kapitän Novak ist heute nachmittag wieder an Bord gekommen«, begann Amos resigniert. »Er . . .« Amos warf seiner Frau einen flüchtigen Seitenblick zu. ». . . tja, ich hatte eine

70

Auseinandersetzung mit ihm.«

Laird stieß einen Pfiff durch die Zähne. »Und wer hat wem zuerst einen Fausthieb versetzt?«

Amos' gutmütiges Gesicht zuckte nervös. »Ich . . . ich habe, glaube ich, angefangen. Aber . . .«

»Wenn *John* ihm keinen Schlag verpaßt hätte, dann hätte *ich* es getan«, warf Mary Amos ein. Sie fuhr sich hastig durch ihr rotes Haar. »Mr. Laird, vielleicht sollte *ich* Ihnen die Geschichte erzählen . . .«

»Bitte, ich möchte langsam erfahren, was los war.«

»Heute nachmittag ist Novak ohne diesen da Costa mit dem alten Schlepper und Mr. Bronner wiedergekommen. Er hat behauptet, noch einige Einzelheiten überprüfen zu müssen, und hat alle herumkommandiert, als sei er Kapitän der ›Craig Michael‹.«

»Ja, das kann er gut«, nickte Laird.

»Er . . . jedenfalls ist ihm Cheung in die Quere gekommen. Novak hat ihn gepackt, gegen einen der Lüftungsschächte geschleudert und ihn danach widerlich beschimpft.«

»Mary ist als erste dazu gekommen«, fiel Amos ein. »Sie hat Novak aufgefordert, Cheung sofort in Ruhe zu lassen . . . mit dem Erfolg, daß er sie fertiggemacht hat. Da habe ich ihm einen Kinnhaken verpaßt.«

»Hoffentlich hat er gesessen«, sagte Laird.

»Leider nicht ganz«, erklärte Amos und berührte die rote Stelle an seiner Backe vorsichtig mit den Fingern. »Novak hat mich ganz schön in die Mangel genommen . . . bis Jody Cruft und der alte Dawson aufgetaucht sind, und da . . .« Amos schüttelte ungläubig den Kopf. »Mann, da hat er eine Pistole gezogen und uns damit bedroht. Rumgebrüllt hat der Bursche wie ein Verrückter. Falls wir nicht tun, was er sagt, würde er abdrücken, schrie er.«

»Und dann?«

Amos zuckte mit den Schultern. »Wir haben ihn gehen lassen, Mister, was sonst?«

»Novak hatte getrunken«, sagte Mary Amos. Ihre Augen

blitzten wütend. »Mr. Laird, wenn John das der Reederei telegrafiert . . .«

»Die wollen nur, daß die ›Craig Michael‹ wieder flottgemacht wird, Mrs. Amos«, erinnerte Laird sie kopfschüttelnd. »Novak durch einen anderen Bergungsfachmann zu ersetzen, würde nur zusätzliche Zeit kosten . . . und Zeit ist Geld.« Laird wandte sich wieder an Kapitän Amos und sah, daß dessen rechte Jackettasche unnatürlich dick ausgebeult war. »Jedenfalls werden Sie gar nichts ausrichten, wenn Sie bewaffnet hier an Land erscheinen. Ich nehme die Waffe lieber an mich, Käpt'n.«

Zögernd griff Amos in die Tasche und zog einen Revolver heraus. Laird nahm ihn ihm ab und konnte nur mühsam ein Lächeln unterdrücken, als er die uralte Achtunddreißiger Smith und Wesson erkannte, die bereits an einigen Stellen Rost angesetzt hatte.

»Haben Sie die überhaupt schon mal benutzt?« fragte er Amos.

»Nein.« Amos wurde rot. »Aber ich habe sie schon verdammt lange, und . . .«

». . . und wenn Sie sich viel Mühe geben, dann treffen Sie ein Scheunentor auf zehn Meter Entfernung.« Laird steckte den Revolver in seinen Hosenbund. »Haben Sie noch einige so glorreiche Ideen?«

»Ja, eine«, entgegnete Amos. »Ich möchte, daß Mary in den nächsten Tagen an Land bleibt.«

»Er hat mich gezwungen, meine Sachen zu packen«, fügte Mary Amos resigniert bei. »Ich würde viel lieber bei ihm bleiben, aber was sich dieser walisische Dickkopf . . .«

»Diesmal hat er vermutlich recht«, unterbrach Laird sie. Dann wandte er sich an Amos: »Wo ist Novak jetzt?«

Amos zuckte die Schultern. »Vermutlich bei der Companhia Tecnico. Schließlich ist er mit dem Schlepper der Werft wieder davongefahren.«

»Novak überlassen Sie am besten mir.« Laird stand auf. »Ich werde dafür sorgen, daß Ihre Frau hier ein Zimmer bekommt.

Sie selbst sollten lieber zu Ihrem Schiff zurückfahren.«

Damit ließ Laird die beiden allein, ging zur Empfangstheke und drückte die Klingel. Kurz darauf trat Isabel da Costa aus ihrem Büro.

»Boa tarde, Senhor Laird«, begrüßte sie ihn und betrachtete ihn prüfend. »Hat Ihnen der Ausflug mit Kati gefallen?«

»Ja, wir haben uns die Gegend ein bißchen angesehen.« Laird war einen Moment unsicher, aber Mama Isabels unschuldige, freundliche Miene schien echt zu sein. Kati hatte also den Mund gehalten. »Die Frau von Kapitän Amos braucht für ein paar Tage ein Zimmer. Haben Sie eines frei?«

Isabel da Costas Miene wurde ernst. Sie zögerte. Schließlich sagte sie leise: »Senhor Laird, ich weiß, daß es auf dem Tanker heute nachmittag Streit gegeben hat . . .«

»Sie sind erstaunlich gut informiert«, bemerkte Laird trokken.

»Sie verstehen mich nicht richtig.« Isabel da Costa schüttelte den Kopf. »Natürlich habe ich ein Zimmer für die Dame. Aber Kapitän Novak und seine Taucher wohnen ebenfalls bei mir.«

»Das ist kein Problem«, erwiderte Laird leise. »Jedenfalls keines, mit dem Ihr Freund, Sergeant Ramos, nicht fertig werden würde.«

Isabel da Costa hob eine schön geschwungene Augenbraue und nickte. Dann ging sie zu Amos und seiner Frau, sprach kurz mit ihnen und führte sie dann die Treppe in die oberen Stockwerke hinauf.

Laird winkte Amos kurz zu, ging zu seinem Simca auf den Parkplatz hinaus, setzte sich hinters Steuer, zog Amos' Revolver aus dem Bund seiner Hose, verstaute ihn unter dem Beifahrersitz und fuhr in Richtung Companhia Tecnico davon.

Für die Belegschaft der Werft war der Arbeitstag offensichtlich zu Ende, denn als Laird dort ankam, strömten gerade die Leute einzeln oder in Gruppen aus dem Hoftor. Laird hielt vor der Bürobaracke an, stieg aus und ging hinein.

Er traf nur noch ein junges Mädchen an, das gerade die Schutzhülle über ihre Schreibmaschine stülpte. Als Laird eintrat, sah sie erstaunt auf.

»Ich suche Kapitän Novak«, erklärte Laird.

Bevor das Mädchen antworten konnte, öffnete sich hinter ihr eine Tür und da Costa steckte den Kopf herein.

»Ich habe Ihren Wagen gesehen, Senhor Laird«, sagte er lächelnd und machte dem Mädchen ein Zeichen, daß sie gehen könne. »Kommen Sie doch in mein Büro.«

Laird folgte seiner Aufforderung. Kaum hatte er die Tür hinter sich geschlossen, verschwand das Lächeln auf da Costas Gesicht. Der Portugiese musterte ihn prüfend.

»Sie wollen Novak sprechen?« fragte er.

Laird nickte.

»Er ist mit Bronner irgendwo auf dem Werftgelände.« Da Costa setzte sich auf einen der beiden Schreibtische, die im Zimmer standen. »Die beiden fachsimpeln ein wenig. Wir helfen Novak mit Werkzeug aus. Er braucht es für die ›Craig Michael‹.«

»Aha.« Laird sah sich im Zimmer um. Dabei fiel sein Blick auf ein großes, gerahmtes Foto von da Costa und Bronner vor der mächtigen Kulisse eines afrikanischen Urwalds. Beide trugen Maschinenpistolen und lachten übermütig in die Kamera.

»Das war in Angola, als dort die Welt noch in Ordnung gewesen ist«, erklärte da Costa, der Lairds Blick gefolgt war. Er bot Laird eine Zigarette an, schüttelte den Kopf, als dieser ablehnte, und zündete sich eine an. »Novak möchte, daß wir ihm helfen, von der Küste bis zum Tanker Scherkräne aufzustellen und Seile zu spannen. Außerdem redet er dauernd von irgendwelchen Schleppankern und braucht dazu sämtliche alten Ankerketten, die wir noch haben.«

Laird nickte. Er konnte sich vorstellen, was Novak damit bezwecken wollte. Der Bergungsfachmann versuchte auf diese Weise der Gefahr vorzubeugen, daß der Tanker beim Flottmachen zu schnell loskam und sich dadurch das Heck des Schiffes auf der anderen Uferseite der Fahrrinne festfahren konnte. Deshalb begann er damit, auf der ganzen Linie sorgfältig gestaffelte Bremsvorrichtungen zu schaffen, um den Tanker jederzeit unter Kontrolle zu haben. Neu war die Idee jedenfalls nicht. Beim Stapellauf großer Schiffe benutzte man ähnliche Konstruktionen.

»Die beiden müssen jeden Augenblick zurück sein.« Da Costa zögerte. »Senhor Laird, wenn es um . . . hm . . . um die Auseinandersetzung geht, die Kapitän Novak mit Kapitän Amos gehabt hat, dann . . .«

»Ja, aber vielleicht rede ich mit Novak lieber persönlich darüber«, entgegnete Laird kühl.

»Bronner und ich sind an der Sache vermutlich nicht ganz unschuldig«, fuhr da Costa einlenkend fort. »Kapitän Novak hat mit uns zu Mittag gegessen, und wir haben . . . einige Gläser zuviel getrunken.«

»Sie meinen, *er* hat sich betrunken?« entfuhr es Laird unwillkürlich.

»Nun . . . ich glaube, er kann einiges vertragen.« Da Costa lachte nervös. »Tja, es ist jedenfalls ein anstrengender Tag gewesen.«

»Nicht nur für Sie«, murmelte Laird.

Da Costa sah ihn einen Moment verdutzt an und nickte dann verständnisvoll. »Für Sie vermutlich auch . . . Daß Jorges Soller sterben mußte, wo er doch für Sie arbeiten sollte . . . Ein merkwürdiger Unfall. Sergeant Ramos hat mir erzählt, wie es passiert ist.« Nach einer Pause fuhr er fort: »Was haben Sie jetzt vor, Senhor Laird? Werden Sie einen anderen Taucher engagieren?«

»Darüber muß ich erst noch nachdenken.« Laird ging zum Fenster und blickte hinaus.

Draußen über der Bucht ging die Sonne unter, und die hohen Werftkräne hoben sich dunkel gegen die golden glitzernde Wasserfläche ab. Laird seufzte tief und verfluchte im Geiste alle Harry Novaks dieser Welt. Plötzlich kniff er die Augen zusammen. Neben der großen Helling parkte ein alter Lastwagen, der ihm seltsam bekannt vorkam.

In diesem Augenblick hörte er, wie hinter ihm die Tür aufging.

Laird hatte seinen Verdacht sofort vergessen, als er herumwirbelte und Charles Bronner und Harry Novak gegenüberstand.

»Wir haben einen Besucher«, erklärte da Costa hastig und warf Bronner einen warnenden Blick zu.

Bronner blieb sofort stehen und musterte Laird stirnrunzelnd, während sich Novak hart an ihm vorbeidrängte.

»Was wollen Sie hier, Laird?« fragte er schneidend. »Ich dachte, ich hätte Ihnen klargemacht, daß Sie hier nicht mehr gebraucht werden.«

»Andere Leute scheinen nicht Ihrer Meinung zu sein, Käpt'n«, entgegnete Laird und gab sich gelassener, als er es in Wirklichkeit war. »Ich hatte recht. Sie haben sich wirklich nicht verändert.«

»Spielen Sie auf die Geschichte mit Amos an?« Novaks Miene verdüsterte sich. »Jetzt hören Sie mir mal zu . . .«

»Ich will damit nur sagen, daß Sie noch immer derselbe brutale Aufschneider sind wie früher«, unterbrach Laird ihn gefährlich leise. Novaks Augen musterten ihn kalt, und Laird wußte, was jetzt kommen würde, steckte jedoch nicht zurück. »Warum legen Sie sich eigentlich nicht mit mir an? Oder brauchen Sie dazu erst noch 'n paar Drinks?«

Novak stieß einen bösen Fluch aus und wollte sich auf Laird stürzen. Doch Laird reagierte blitzschnell. Er holte aus und versetzte Novak einen Schlag in die Magengegend, der diesen stöhnend rückwärts taumeln ließ. Der Schlepperkapitän faßte sich allerdings schnell wieder und wollte erneut auf Laird losgehen, als Charles Bronner dazwischentrat.

»So geht das nicht, Käpt'n!« wies er Novak scharf zurecht. »Das habe ich Ihnen schon mal gesagt.« Er riß Novak zurück, maß ihn kalt und wandte sich dann an Laird: »Wenn ihr euch unbedingt schlagen wollt, dann jedenfalls nicht hier.«

Laird zuckte die Achseln. Schwer atmend fuhr sich Novak mit der Zunge über die Lippen.

»Okay, vielleicht habe ich ein Glas zuviel getrunken«, sagte er. »Aber das gibt niemandem das Recht, so mit mir zu reden.«

Da Costa seufzte hörbar. »Vielleicht erinnern Sie sich daran, daß Sie einen wichtigen Auftrag zu erfüllen haben, Kapitän Novak. Wenn es Senhor Laird glücklicher macht . . . und falls in Bezug auf Kapitän Amos und seine Frau eine Entschuldigung von Ihnen angebracht sein sollte, dann kostet es Sie nur ein paar freundliche Worte, und die Sache ist bereinigt. Im Vergleich zu dem, was Sie mit der ›Craig Michael‹ erwartet, ist das doch ein Kinderspiel.«

Novak schüttelte Bronners Hand ab, nickte zögernd und sagte zu Laird: »Okay, ich werde mich bei denen entschuldigen«, brummte er mißmutig. »Genügt das?«

»Nur, wenn Sie sich in Zukunft besser benehmen«, antwortete Laird. »Amos' Frau wohnt zur Zeit im Pousada Pico. Bei ihr könnten Sie gleich anfangen.«

Novak fluchte unterdrückt, nickte jedoch zustimmend.

»Na, dann wäre ja alles wieder in bester Ordnung«, sagte da Costa und lächelte spöttisch.

Laird wandte sich zum Gehen, doch bevor er die Tür erreichte, verstellte Bronner ihm den Weg.

»Sagen Sie mir eines, Senhor Laird: Wie hoch schätzen Sie die Chancen, daß der Tanker wieder flottkommt?«

»Bei dem Gewaltakt, den ihr vorhabt?« Laird warf Novak einen flüchtigen Blick zu. »Ihr arbeitet mit dem einzigen Bergungsfachmann, der es möglicherweise schaffen kann . . . falls er vorher nicht hinter Gittern landet.«

Laird knallte die Tür hinter sich zu, ehe ihm jemand darauf antworten konnte.

Er war bereits wieder auf halbem Weg nach Porto Esco, als ihm der Lastwagen im Hof der Companhia Tecnico einfiel. Laird gab wütend Gas. Zum Umkehren war es zu spät, und sein Verdacht kam ihm plötzlich völlig abwegig vor.

Trotzdem ging ihm die Sache nicht aus dem Kopf, und seine Gedanken wanderten wieder zu Harry Novak. Novak spielte ein gefährliches Spiel, und die Erfahrung hatte Laird gelehrt, daß trotz des vorläufig aufgehobenen Versicherungsschutzes für die

›Craig Michael‹ im Falle eines Mißerfolgs eine geschickter Anwalt die Clanmor Alliance zu einem Rechtsstreit mit ungewissem Ausgang zwingen konnte.

Osgood Morris und sein Verwaltungsrat wußten das sicher auch, und der Gedanke daran machte ihnen vermutlich bereits Magenschmerzen.

Als Laird nach Porto Esco kam, wurde es schon dunkel, und die Reihen der Fischerboote an der Hafenmauer hatte sich sichtlich gelichtet. Vor Jorges Sollers Boot stand am Pier ein Streifenwagen. Laird bremste und hielt an.

Der Streifenwagen war leer, doch aus den kleinen Bullaugen des Fischerbootes drang Licht. Laird sprang an Bord. Die Tür zum Niedergang stand offen. Er bückte sich, stieg die Treppe hinunter und blieb abrupt stehen. Die schäbige Kajüte sah aus, als habe ein Orkan darin gewütet. Der Inhalt sämtlicher Spinde lag verstreut auf dem Fußboden, die Matratzen waren aus der Koje herausgerissen worden und man hatte die Kontrolluke in der Decke brutal aufgestoßen. Inmitten des ganzen Durcheinanders stand mit finsterer Miene Sergeant Ramos.

»Boa tarde, Sergeant«, murmelte Laird freundlich. »Suchen Sie was?«

Ramos brummte irgend etwas, warf einen alten Seesack weg, den er gerade durchsucht hatte, und setzte sich auf eine Bank.

»Das ist eine polizeiliche Angelegenheit, Senhor Laird«, entgegnete er abweisend. »Was wollen Sie jetzt schon wieder?«

»Oh, nichts Besonderes.« Laird bot Ramos eine Zigarette an und zündete sich dann ebenfalls eine an. »Sie haben mir doch versprochen, daß ich mir Sollers Tauchbuch mal ansehen darf.«

»Stimmt.« Ramos nickte und musterte Laird kurz mit einem unergründlichen Ausdruck in den Augen. »Das habe ich beinahe vergessen. Sie können es sich gern durchsehen . . . das heißt, falls Sie es finden.«

»Das verstehe ich nicht ganz«, sagte Laird langsam.

»Es ist alles da . . . seine sämtlichen Papiere einschließlich einiger Liebesbriefe von verheirateten Frauen und der Lebensmittelrechnungen. Nur sein Tauchbuch ist spurlos verschwunden.«

»Aber danach suchen Sie im Moment doch gar nicht, oder?« fragte Laird vorsichtig.

Ramos schüttelte langsam den Kopf.

»Was interessiert Sie dann so brennend?«

»Nehmen wir mal an . . .« Ramos zögerte und fuhr dann fort:

»Nehmen wir an, das ist Ihr Boot, und Sie möchten etwas verstecken. Was würden Sie tun?«

»Dazu muß ich zuerst wissen, wie wichtig dieser Gegenstand ist und wieviel mir daran liegt, daß er nicht gefunden wird«, erwiderte Laird listig. »Wovon reden Sie überhaupt, Sergeant?«

»Später. Ich bitte Sie lediglich um Hilfe. Sie kennen sich auf Schiffen doch aus . . .«

»Ich bin im Versicherungsgeschäft tätig, Sergeant, und es gibt Leute, die sogar bezweifeln, daß ich dazu tauglich bin«, unterbrach Laird ihn. »Haben Sie vielleicht den Verdacht, daß Soller ein Schmuggler gewesen ist?«

Ramos machte eine abwehrende Handbewegung. »Unsinn. Dazu hatte Soller nicht den nötigen Grips. Aber falls er was verstecken wollte . . .«

»Okay, ich kann's ja mal versuchen«, fiel Laird Ramos ins Wort. »Wo haben Sie schon nachgesehen?«

»Überall.« Ramos lächelte bitter. »Was Ihr Tauchbuch betrifft, Senhor Laird, so habe ich den leisen Verdacht, daß die ›Juhno‹ bereits danach durchsucht worden ist. Vielleicht ist das der Grund, warum ich es nicht finden kann.«

»Sergeant, Sie sprechen in Rätseln.« Laird stand seufzend auf. »Wenn Soller nicht irgendwo ein Geheimfach gehabt hat, dann ist es am wahrscheinlichsten, daß . . . Das Versteck muß so narrensicher sein, daß die meisten Leute gar nicht darauf kommen.«

Laird klopfte als erstes die Wandtäfelung der Kajüte ab, doch die Bretter klangen überall gleichmäßig hohl. Im Ruderhaus hatte er ebenfalls kein Glück. Er suchte gründlich in allen Ecken, überprüfte sogar die Rettungsboje, kehrte aber schließlich unverrichteter Dinge in die Kajüte zurück.

»Tut mir leid«, erklärte er mißmutig und ließ sich neben Ramos auf die Bank fallen.

»Sie haben's wenigstens versucht«, seufzte Ramos resigniert. »Obrigado!«

Plötzlich sprang Laird auf. Ihm war eingefallen, daß er ein altbekanntes Versteck vergessen hatte. Mit wenigen Schritten war er bei Sollers Koje. Das Bett hatte einen stabilen Holzrahmen, der an den Fußboden angeschraubt war. »Bringen Sie mir einen Schraubenzieher«, forderte Laird den Sergeant hastig auf.

Ramos gehorchte wortlos. Es dauerte nicht lange, und er reichte Laird das gewünschte Werkzeug. Laird kroch unter das Bett, ignorierte die großen Schaben, die vor ihm auseinanderstoben, und machte sich daran, die sechs Schrauben herauszudrehen, mit denen die Koje festgemacht war. Zu seiner Überraschung waren die alten Schrauben sauber geölt und dadurch leicht zu lockern. Gemeinsam mit Ramos rückte er dann das Bett zur Seite. Dabei kam eine rechteckige Öffnung zum Vorschein, die jemand in die Trennwand geschnitten hatte.

»Por favor . . .« Sergeant Ramos stieß Laird beinahe unsanft zur Seite, kniete nieder, griff in die Öffnung und zog nacheinander eine Reihe von in alte Lumpen gewickelten Päckchen heraus. Fünf Minuten später lag eine ganze Kollektion von verschiedensten, mehr oder minder wertvollen Gegenständen, ausgepackt auf dem Kajütentisch. Darunter waren zwei Ferngläser, ein Messing-Sextant, ein Handkompaß, mehrere kleinere Chronometer, Transistorradios, ein Taschenrechner, eine teure Kamera und vieles mehr. Laird sah Ramos an.

»Haben Sie das erwartet?«

Ramos nickte.

»Was, zum Teufel, soll denn das?«

»Das ist die Beute aus den Diebstählen, die während der vergangenen Monate hier auf den Booten im Hafen begangen worden sind. Ich habe Jorges Soller seit langem verdächtigt, konnte ihm jedoch nie etwas nachweisen. Ein Taucher kann unbemerkt im Hafen oder weiter draußen in der Bucht an Liegeplätzen arbeiten.«

»Und die Sachen sind alle als gestohlen gemeldet worden?«

»Ja.« Ramos seufzte. »Die Kamera ist auf einer amerikanischen Jacht und dieses Radio vermutlich dem holländischen Bootsmann der ›Craig Michael‹ gestohlen worden.«

»Ich verstehe.« Laird dachte angestrengt nach. Ihm war plötzlich eine Idee gekommen. »Und dann stirbt Soller plötzlich beim Tauchen, und Sie behaupten, jemand habe sein Boot durchsucht. Ein merkwürdiges Zusammentreffen von Ereignissen, finden Sie nicht auch, Sergeant?«

»Tja . . . ich . . .« Ramos kaute auf seiner Unterlippe. »Darüber muß ich noch nachdenken. Es deutet alles auf einen Unfall hin.« Er zeigte auf die Diebesbeute auf dem Tisch. »Deswegen bringt man einen Menschen doch nicht um.«

»Das könnte davon abhängen, wie Soller an die Sachen rangekommen ist, und was er während seiner Beute beobachtet hat«, bemerkte Laird. »Haben Sie sein Motorrad schon gefunden?«

Ramos schüttelte verneinend den Kopf.

»Überlegen Sie mal, woher es kommen kann, daß es noch nicht wieder aufgetaucht ist«, schlug Laird vor und wandte sich zum Gehen. Auf der Treppe drehte er sich noch einmal um. »Sie haben gesagt, Sie bräuchten Zeit zum Nachdenken, Sergeant. Ich finde, es gibt verdammt vieles, worüber Sie sich den Kopf zerbrechen sollten.«

Laird ging nicht sofort ins Hotel Pousada Pico zurück, sondern setzte sich in eine kleine Straßenbar, bestellte sich einen Drink und tat genau das, was er Ramos geraten hatte.

Er dachte nach. Er rief sich noch einmal alles ins Gedächtnis zurück, was seit seiner Ankunft in Porto Esco geschehen war. Wie wichtig die ›Craig Michael‹ bei der ganzen Angelegenheit war, wußte er nicht. Das Büro der Clanmore Alliance war um diese Zeit bereits geschlossen. Laird kam dadurch zu der Einsicht, daß das Telefongespräch mit Morris bis zum folgenden Morgen warten mußte. Die Wurzel allen Übels war seiner Meinung nach in Porto Esco zu suchen.

Jorges Soller hatte sich bereiterklärt, einen Tauchauftrag für ihn zu übernehmen, und war gestorben. Aber dieser Job konnte kaum der Grund für seinen plötzlichen Tod gewesen sein. Soller mußte bei seinen Diebstählen irgend etwas beobachtet haben, ohne vielleicht zu begreifen, von welch fataler Wichtigkeit diese Sache war. Falls sein Boot tatsächlich durchsucht und sein Tauchbuch gestohlen worden war, dann bedeutete das, daß sein Mörder fürchtete, daß sich Soller Notizen über seine Beobachtungen gemacht hatte.

Aber was konnte Soller gesehen haben? Laird fluchte leise vor sich hin.

Dabei war Laird nicht einmal sicher, daß Soller ermordet worden war. Das Loch im Auspuff des Kompressors konnte auch zufällig entstanden sein.

Und trotzdem hielt Laird an seinem Verdacht fest. Schließlich hatte jemand versucht, ihn mit einem Lastwagen zu überfahren und war ihm auf seinem Ausflug mit Kati Gunn gefolgt. Und dieser jemand hatte eine Waffe getragen und nicht gezögert, sie auch zu benutzen.

Wenn man dann noch berücksichtigte, daß Harry Novak aus heiterem Himmel in Porto Esco aufgetaucht war ... Laird schlug mit der Faust auf den Tisch, trank sein Bier aus, zahlte und ging auf die dunkle Straße hinaus.

Er hatte bereits einen Verdächtigen, aber gegenüber diesem war er voreingenommen.

Nein, eigentlich gab es für ihn zwei Verdächtige: und zwar Jose da Costa und seinen Geschäftspartner Bronner.

Dabei hatte Laird keine Ahnung, worum es bei dieser Sache überhaupt ging.

*

Das Restaurant des Hotels Pousada Pico war an diesem Abend voll besetzt. Die musikalische Unterhaltung bestritten ein Gitarrist mit melancholischem Gesicht und eine vollbusige Fado-Sängerin.

Andrew Laird betrat den Speisesaal gegen acht Uhr, als die Fado-Vorstellung in vollem Gange war. Ein Ober wollte ihn an einen Tisch führen, doch Laird blieb plötzlich verdutzt stehen und starrte auf das Paar, das an einem Tisch neben der Tür saß.

Harry Novak war frisch rasiert und trug ein weißes Hemd mit Krawatte. Ihm gegenüber saß eine lächelnde und aufmerksam zuhörende Mary Amos in einem schulterfreien Sommerkleid. Sie hatte eine einreihige Perlenkette umgelegt und war wirkungsvoll, jedoch unauffällig geschminkt. Ihr rotes Haar schimmerte im Kerzenlicht.

»Guten Abend«, brachte Laird mühsam heraus.

»Guten Abend, Mr. Laird«, erwiderte Mary Amos mit einem unschuldigen Augenaufschlag. »Gerade haben wir über Sie gesprochen. Kapitän Novak hat mir erzählt, daß Sie beide zusammen zur See gefahren sind.«

»Sind wir«, entgegnete Laird knapp und warf einen Blick auf die halbleere Weinflasche, die auf dem Tisch stand. »Amüsieren Sie sich gut, Harry?« erkundigte er sich dann.

Novak lächelte verlegen. Seine Antwort ging jedoch im Schlußakkord der Fado-Sängerin unter.

»Ich versuche, die Sache wieder ins reine zu bringen«, begann er schließlich noch einmal.

»Ja, und das finde ich sehr nett«, half ihm Mary Amos zufrieden. »Keine Angst, Mr. Laird. Kapitän Novak hat sich für heute nachmittag bereits bei mir entschuldigt. Es hat ein bißchen gedauert, aber schließlich habe ich seine Entschuldigung angenommen und mit ihm zu Abend gegessen.«

Laird schluckte hart. »Und wie lange wird es bei Ihrem Mann dauern, Mrs. Amos?«

»Bei John?« Mary Amos runzelte kurz die Stirn. Dann lächelte sie wieder. »Kapitän Novak will gleich morgen früh mit ihm reden. Nicht wahr, Käpt'n?«

»Selbstverständlich«, versicherte ihr Novak hastig. »Immerhin sind wir aufeinander angewiesen . . .«

»Na, dann hissen Sie morgen lieber die weiße Flagge, bevor Sie an Bord gehen«, riet Laird ihm finster und tippte mit seinem Zeigefinger genau auf die Stelle, an der am Nachmittag sein linker Haken gelandet war. Novak zuckte zusammen. »Wir wollen doch jedes weitere Mißverständnis vermeiden, nicht wahr?«

»Natürlich«, antwortete Novak gepreßt. Seine Augen blitzten Laird jedoch wütend an.

»Trotzdem werde ich wohl noch einige Tage an Land bleiben«, sagte Mary Amos, als habe sie nichts gemerkt. »Wenigstens, bis die ›Craig Michael‹ wieder flott ist.« Ihre Stimme hatte plötzlich einen sanften Unterton. »Außerdem genieße ich die Abwechslung. Und John kann mich dort draußen jetzt sowieso nicht brauchen.«

»Sie haben vermutlich recht«, entgegnete Laird hölzern. »Ich wünsche Ihnen noch einen schönen Abend.«

Er nickte den beiden kurz zu und ließ sich dann vom Ober zu einem Tisch nahe dem Podium führen.

Laird bestellte das Tagesmenü und aß ohne großen Appetit. Ab und zu warf er einen ungläubigen Blick auf Novak und Mary Amos, die bereits bei der zweiten Flasche Wein angelangt waren.

Doch was auch immer hinter dieser Versöhnung steckte, und welche zwielichtigen Ziele entweder Novak oder Mary Amos damit verfolgen mochten, die rothaarige Kapitänsgattin war bereits weit über einundzwanzig und konnte vermutlich gut auf sich selbst aufpassen. Die ganze Sache ging Laird nichts an. Er konnte nur hoffen, daß die Stimmung nicht plötzlich umschwenkte.

Die Fado-Sängerin zwinkerte ihm mitten in einem Lied auffordernd zu, als er schließlich aufstand und das Restaurant verließ. Laird vermutete, daß sie mit dem melancholischen Gitarristen verheiratet war und ihm das Abendessen kochen mußte, sobald sie nach Hause kamen.

In seinem Zimmer tauschte er den hellen Sommeranzug und das weiße Hemd gegen eine schwarze Cordhose und einen schwarzen Rollkragenpullover, nahm seine Brieftasche, das Taschenmesser, die Autoschlüssel, die Zigaretten und das Feuerzeug aus der Jackettasche und steckte alles in die Hosentaschen.

Kurz darauf schloß er hinter sich leise die Zimmertür und lief durch die leere Hotelhalle zum Hinterausgang. Dort stieß er im Dunkeln mit zwei Männern zusammen, die gerade hineinwollten.

»Hallo, Mr. Laird!« begrüßte ihn Andy Dawson fröhlich, und Jody Cruft nickte ihm grinsend zu.

»Wer hat euch denn Landurlaub gegeben?« erkundigte sich Laird lächelnd. »Ich dachte, der Alte würde euch jetzt jede Nacht Wache schieben lassen.«

»Ach wo, Mr. Laird«, erwiderte der holländische Bootsmann. »Käpt'n Amos sitzt mit einer Flasche Whisky in der einen und einem Schrotgewehr in der anderen Hand an Deck und genießt den schönen Abend. Er hat uns Urlaub gegeben, weil die nächsten Tage vermutlich ziemlich hektisch ausfallen werden. Und danach gehen wir sowieso wieder auf große Fahrt.«

»Jody und ich wollten nur noch mal nach Mrs. Amos sehen«, erklärte Dawson.

»Oh, der geht's ausgezeichnet«, versicherte Laird den beiden hastig. »Ich habe sie gerade getroffen. Sie war auf dem Weg in ihr Zimmer. Die Gute wollte mal früh ins Bett gehen. Ich an eurer Stelle würde sie jetzt nicht mehr stören.«

»Sie hat heute nachmittag einiges mitgemacht«, seufzte Cruft mit finsterer Miene. »Mary Amos ist ein prima Kerl. Sie soll sich nur ausruhen.«

»Ich sage ihr morgen früh, daß ihr hier gewesen seid«, erbot sich Laird sofort. »Das freut sie sicher.« Laird atmete erleichtert auf. »Habt ihr mit Novak und seinen Leuten noch Schwierigkeiten gehabt?«

»Nein.« Andy Dawson schüttelte energisch den Kopf.

»Okay, dann wünsche ich euch heute noch viel Vergnügen«, sagte Laird zum Abschied. »Ach, kommt mal, ihr dürftet euch doch inzwischen in Porto Esco ganz gut auskennen. Wißt ihr, wo dieser Charles Bronner, da Costas Geschäftspartner, wohnt?«

»Klar«, antwortete Dawson eifrig. »Er hat am Südende der Stadt in Richtung Cabo Esco direkt am Meer ein Haus mit einem kleinen Privathafen. Sie können es nicht verfehlen.«

»Hm, danke«, murmelte Laird nachdenklich. »Ihr seid ja jetzt schon lange genug hier, um über alles Bescheid zu wissen. Wie ist eigentlich der Verkehr auf dem Kanal? Gibt's da manchmal was Besonderes?«

Dawson sah Laird kopfschüttelnd an. Dann versetzte Jody Cruft seinem Kollegen plötzlich einen gutmütigen Puff in die Rippen.

»Erzähl ihm doch mal von dem Wal, den du angeblich vor zwei Monaten gesichtet hast und der dir einen solchen Schrecken eingejagt hat«, forderte der Bootsmann den Ingenieur auf.

»Was heißt hier angeblich?« protestierte Dawson. »Er ist so nah gewesen, daß ich genau . . .«

»Er hat sogar das Weiße seiner Augen gesehen, Mr. Laird«, spottete Jody Cruft und zwinkerte Laird zu. »Das ist an meinem Geburtstag gewesen. Andy und ich waren zur Feier des Tages ziemlich blau. Als wir auf die ›Craig Michael‹ zurückgekommen sind, wollte Andy unbedingt an Deck schlafen. Am nächsten Morgen hat er dann steif und fest behauptet, er habe den größten Wal der Welt gesehen. Das Vieh habe laut gegrunzt und ihn genau mit seinen Augen fixiert, als es vorbeigeschwommen sei.«

»Ich habe ihn gesehen«, beteuerte Dawson. »Vielleicht war's nicht der größte, aber immerhin ein sehr großer Wal.«

»Mann, wie ist er dann an uns vorbeigekommen?« höhnte Cruft. »Andy, du bist stockbesoffen gewesen. Vermutlich war dein Wal 'ne verkleidete Sardine.«

Dawson schnaufte verächtlich. »'n Wal ist 'n Wal. Wenn ihr mir nicht glauben wollt . . . bitte.« Er spuckte aus. »Ich dachte, wir wollten uns heute abend hier amüsieren. Wenn mit Mrs.

Amos alles in Ordnung ist . . . warum stehen wir dann hier noch rum?« Die beiden verabschiedeten sich und gingen davon.

Laird blickte ihnen eine Weile nach und ging dann zu seinem Wagen. Er wollte gerade die Tür aufschließen, als Kati Gunn aus dem Hotel trat. »Andrew . . .« Sie kam auf ihn zu. »Ich habe dich schon gesucht.«

»Plötzlich scheine ich wieder gefragt zu sein.« Laird musterte Kati bewundernd. Sie trug eine ärmellose, tief ausgeschnittene Bluse mit einer Silberbrosche und eine elegante schwarze Hose. »Wo hast du dich die ganze Zeit versteckt?«

»Versteckt ist gut«, entgegnete Kati humorlos. »Jedesmal, wenn Tante Isabel mich sieht, fragt sie mich, was wir heute nachmittag gemacht haben.« Kati hob eine Augenbraue. »Soll ich's ihr vielleicht sagen?« Sie zog einen Zettel aus der Hosentasche. »Ich habe eine Nachricht von Mrs. Amos für dich. Wir sind uns in der Toilette begegnet. Sie bat mich, dir das zu geben.«

Laird faltete den Brief auseinander und las die Nachricht im schwachen Schein der Türbeleuchtung des Pousada Pico. Sie lautete: ›Mr. L., es gibt mehrere Methoden, um einem Mann eine Lektion zu erteilen. M. A.‹

Laird steckte den Zettel wieder in die Tasche und sah Kati an.

»Was hat sie mit Novak vor?« fragte er.

Kati zuckte mit den Schultern. »Ich würde es nicht wagen, sie zu fragen.« »Ich auch nicht«, meinte er. »Kannst du ein bißchen auf sie aufpassen?«

»Mein Gott, sie könnte meine Mutter sein«, protestierte Kati.

»Alter schützt vor Torheit nicht«, antwortete Laird grinsend. »Also, machst du's?«

Kati seufzte und nickte. »Darf ich fragen, was du vorhast?«

Laird zögerte. Er hoffte, daß er ihr trauen konnte. Er glaubte, daß er ihr trauen konnte, aber eine innere Stimme sagte ihm, daß er in diesem Augenblick kein Risiko eingehen durfte.

»Ich muß noch mal wegfahren und einige Berichte und Unterlagen zum Flugplatz nach Faro bringen, die unbedingt noch morgen in London sein müssen«, log er.

Er küßte sie flüchtig auf den Mund und stieg in den Simca. Kati winkte ihm zu, als er den Motor anließ und rückwärts aus dem Parkplatz fuhr. Als er in die Hauptstraße einbog, stand sie noch immer da. Laird zog eine Grimasse. Er hatte keineswegs vor, auch nur in die Nähe von Faro zu fahren.

5

Es war stockfinster, und auf der Küstenstraße herrschte kein Verkehr mehr. Doch Andrew Laird war nicht sicher, daß er nicht doch verfolgt wurde. Er fuhr deshalb mit dem Simca zuerst in Richtung Faro, wobei er ständig in den Rückspiegel sah. Als alles ruhig blieb, erreichte er über mehrere Seitenstraßen in sicherer Entfernung vom Hotel Pousada Pico erneut die Küstenstraße und machte sich auf die Suche nach dem Haus von Charles Bronner.

Er war längst am Ortsende von Porto Esco angelangt, und es kamen ihm bereits Zweifel an der Richtigkeit von Andy Dawsons Aussage, als im Scheinwerferlicht plötzlich vor ihm ein einsam liegendes Haus auftauchte. Es stand auf einem schmalen Landvorsprung direkt an der Küste, und Laird konnte unterhalb des Hauses einen kleinen Hafen erkennen.

Er fuhr an dem Grundstück vorbei, kam nach einigen hundert Metern zu einer Weggabelung und entschied sich für den rechten Weg. Dort parkte er an einer Stelle, wo der Wagen von der Hauptstraße aus nicht gesehen werden konnte, stieg aus und ging zu Fuß zurück.

Das Haus war von einem dicht bewachsenen Garten und einer halbhohen Gartenmauer umgeben. Bis auf einen schwachen Lichtschein hinter dem Fenster eines langgestreckten Schuppens auf der Rückseite des Hauses nahe dem Anlegesteg war alles dunkel. Laird schlich im Schatten der Mauer weiter, bis er einen guten Ausblick auf Schuppen und Hafen hatte, kauerte sich dort nieder und pfiff vor Erstaunen leise durch die Zähne.

Am Anlegesteg lag deutlich erkennbar die schnittige Motorjacht ›Mama Isabel‹, und Charles Bronner kam eben aus dem Schuppen und ging zum Hafen hinunter. Er trug auf einer Schulter eine schwere Kiste, in der bei jedem seiner Schritte Glas klirrte, lud sie auf das Boot und lief dann zum Schuppen zurück. Im nächsten Augenblick tauchte auch da Costa mit einer ähnlichen Kiste aus dem Schuppen auf und verfrachtete diese ebenfalls an Bord der ›Mama Isabel‹.

Die beiden Männer liefen noch mehrmals mit Kisten und Paketen zwischen Schuppen und Schiff hin und her. Dann plötzlich stolperte Bronner mit einer Kiste, gerade als er den Anlegesteg erreicht hatte, und fiel hin. Laird hörte Glas zerbrechen. Bronner fluchte, und da Costa kicherte, als er seinem Partner zu Hilfe kam.

Schließlich schleppten sie auch diese Kiste zu den anderen an Bord der ›Mama Isabel‹. Dann liefen die Männer wieder zum Schuppen und transportierten von dort einen größeren Container zum Schiff. Danach kehrte Bronner allein zum Schuppen zurück.

Im nächsten Moment erlosch das Licht, eine Tür fiel krachend zu, Bronner rannte zum Anlegesteg, machte die Leinen der ›Mama Isabel‹ los und sprang an Bord. Kurz darauf fuhr die Motorjacht quer über die Bucht auf die flackernden Lichter zu, die die Fahrrinne zur Companhia Tecnico markierten.

Laird richtete sich auf, sprang über die Mauer und lief durch dichtes Gestrüpp und hohes Gras zum Schuppen. An der Stelle, wo Bronner gestolpert war, erkannte Laird auf dem Weg eine weiße Pfütze und Glasscherben. Laird bückte sich, steckte einen Finger in die Flüssigkeit und kostete prüfend.

Es war Milch . . . nichts anderes als ganz gewöhnliche Milch.

Verwirrt näherte sich Laird dem Schuppen. Die Tür war verschlossen, doch ein Seitenfenster konnte er problemlos mit dem Taschenmesser öffnen. Er stieß es auf, kletterte in den stockfinsteren Schuppen und knipste sein Feuerzeug an, um wenigstens den Lichtschalter zu finden.

Eine nackte Glühbirne, die in der Mitte des Raumes von der Decke hing, flammte auf, als er den Schalter entdeckt hatte. Ungefähr ein Drittel des Schuppens nahm Bronners cremefarbener Range Rover ein, doch Laird schenkte dem Wagen keine Beachtung. Ein Motorrad, das neben der Tür stand, hatte seine Aufmerksamkeit erregt. Laird sah sofort, daß es nicht Jorges Sollers Maschine sein konnte. Es war vielmehr ein italienisches Geländemotorrad mit Stollenreifen, natürlich ohne Beiwagen. Laird untersuchte das Fahrzeug näher und entdeckte am Rahmen und den Reifen Spuren des groben, gelben Sandes, der auf dem schmalen Weg zur Bucht hinunter gelegen hatte, in der Kati und er beobachtet worden waren.

Lairds Backenmuskeln zuckten, und er begann den Schuppen sorgfältig zu durchsuchen. Er fand das übliche Werkzeug und die Gerätschaften, die man in einem Gartenschuppen aufbewahrte, einem Schuppen, der zugleich Garage und Bootshaus war. Darüber hinaus entdeckte Laird auf der Werkbank vor dem Fenster jedoch auch eine fast leere Flasche Waffenöl und einige weiche Polierlappen. Der freie Platz in der Ecke neben der Tür deutete darauf hin, daß dort die Kisten gestapelt gewesen waren, die da Costa und Bronner auf die ›Mama Isabel‹ verladen hatten. Plötzlich fiel Lairds Blick auf einen zerknüllten Papierfetzen, der auf dem Fußboden lag.

Laird hob ihn auf, strich ihn glatt und erkannte darauf den Teil einer Zahlenkolonne aus einer Rechenmaschine. Er steckte das Stück Papier achselzuckend ein und setzte seine Suche fort.

In Bronners Range Rover und dem übrigen Schuppenteil fand er jedoch nichts mehr, das für ihn von Interesse hätte sein können, und stellte die Suche schließlich ein. Nachdem er das Licht ausgelöscht hatte, stieg er durch das Fenster ins Freie, schloß den Riegel desselben wieder mit Hilfe des Taschenmessers und kehrte zu seinem Wagen zurück.

Dort setzte er sich hinter das Steuer, zündete sich eine Zigarette an und dachte eine Weile nach. Der Verdacht, der ihm am

Nachmittag teilweise noch abwegig erschienen war, hatte sich erhärtet. Doch sichere Anhaltspunkte fehlten ihm immer noch, und Laird wußte, daß er sich nur auf dem Gelände der Companhia Tecnico Gewißheit verschaffen konnte.

Er zog noch einmal an seiner Zigarette, warf sie dann aus dem Fenster, ließ den Motor an und fuhr zurück zur Küstenstraße.

Zwanzig Minuten später stand Laird im Schutz einer Piniengruppe und sah zum verschlossenen Hoftor der Companhia Tecnico hinüber. Die Werftgebäude hoben sich dunkel gegen den Nachthimmel ab. Der Hof wirkte leer und verlassen, doch als Laird angestrengt in die Dunkelheit horchte, hörte er außer dem leisen Rauschen des Windes in den Bäumen noch das Surren eines Motors auf dem Werftgelände. Im nächsten Moment sah er kurz ein Streichholz aufflammen, als sich die Wache im Schatten eines kleinen Schuppens eine Zigarette anzündete.

Hinter dem hohen Maschendrahtzaun der Companhia Tecnico war offensichtlich etwas im Gange, von dem die Leute von Porto Esco nichts wissen sollten.

Laird betrachtete nachdenklich den Drahtzaun. Er hatte den Simca in sicherer Entfernung an der Küstenstraße im Gebüsch abgestellt und trug John Amos' alte Smith und Wesson im Hosenbund, obwohl er keine Ahnung hatte, was passieren würde, falls er tatsächlich einen Schuß damit abgeben mußte.

Der Drahtzaun war hoch, und Laird war für eine Klettertour kaum richtig ausgerüstet. Als es ganz in seiner Nähe leise raschelte und ein Tier über seine Füße huschte, kam ihm eine Idee.

Laird schlich im Schatten der Pinien parallel zum Zaun weiter vom Eingangstor fort, verließ dann den sicheren Schutz der Baumgruppe und lief zum Zaun. Dort ließ er sich auf alle viere nieder und kroch von Betonpfosten zu Betonpfosten, bis er endlich eine geeignete Stelle gefunden hatte. Mit beiden Händen tastete er die Kuhle ab, die sich dort ein Tier unter dem Zaun hindurch gegraben hatte. Der Maschendraht war dort leicht nach oben geschoben. Der Zwischenraum schien zu schmal, doch flach auf den Boden gepreßt gelang es Laird, sich darunter durchzuzwängen. Hinter dem Zaun blieb er einen Augenblick liegen und kroch dann hastig in den Schatten eines Stapels rostiger Stahlplatten.

Dort richtete Laird sich vorsichtig auf und versuchte sich an den Kränen, die herumstanden, zu orientieren. Er fuhr jedoch erschrocken zurück, als plötzlich aus der Dunkelheit die Gestalt eines Mannes auftauchte und leise vor sich hinpfeifend am Drahtzaun entlangpatrouillierte. Er kam dabei so dicht an Laird vorbei, daß dieser deutlich die ausgeschaltete Taschenlampe in seiner Hand erkannte.

Laird wartete noch gut eine Minute, nachdem der Wachmann wieder verschwunden war, und schlich dann, sich immer im Schatten von Schrotthaufen und Kränen haltend, auf die Barracke zu, in der das Büro untergebracht war. Vor den Fenstern des Hauptbüros waren die Vorhänge zugezogen, doch an einer Stelle blitzte ein schmaler Lichtstreifen durch. Was Laird jedoch viel mehr interessierte, war die Tatsache, daß das Motorengeräusch ständig lauter geworden war.

Leise und unbemerkt wie ein Schatten huschte er an der größten Helling vorbei zum Pier hinunter, wo der alte Werft-Schlepper festgemacht hatte. Das Geräusch war erneut lauter geworden, und Laird erkannte jetzt deutlich das rhythmische Stampfen eines Dieselmotors, der sich irgendwo weiter draußen befinden mußte. Laird starrte angestrengt aufs Wasser und entdeckte dabei die Spitze einer schmalen Insel, gegen die leise die Wellen schlugen und die ihm zuvor nie aufgefallen war. Die Sicht in diese Richtung war ihm jedoch teilweise durch ein langgestrecktes flaches Ziegelgebäude verdeckt, das vom übrigen Werftgelände durch einen hohen, fest in einen Betonrahmen eingelassenen Drahtzaun abgetrennt war.

Allerdings befand sich auch in diesem Zaun ein Tor, das breit genug für einen Lastwagen war, und das stand offen. Laird sah sich vorsichtig um. Sein Atem ging schneller, und seine Kehle war rauh und trocken, als er lautlos hindurchschlüpfte.

Hinter dem Tor blieb er kurz stehen und horchte angestrengt

in die Dunkelheit. Als sich nichts rührte, fuhr er sich mit der Zunge über die trockenen Lippen, packte Amos' alten Revolver fester und schlich langsam um das flache Gebäude herum.

Kaum hatte er die Hausecke erreicht, blieb er abrupt stehen und starrte ungläubig auf die Szene, die sich ihm bot. Und plötzlich ergab alles einen Sinn.

Laird stand dicht vor einer zweiten Piermauer, und dahinter lag aufgetaucht ein riesiges Unterseeboot. Das Motorengeräusch kam deutlich aus dieser Richtung. Auf der Plattform um den Turm des U-Bootes herum bewegten sich kleine Lichter, und da Costas ›Mama Isabel‹ schaukelte daneben wie ein Spielzeugschiffchen auf den Wellen, während Gestalten zwischen dem U-Boot und der Motorjacht hin- und herliefen. Erst bei näherer Betrachtung fiel Laird auf, daß mit dem U-Boot etwas nicht stimmte.

Es hatte schwere Schlagseite, der Bug lag tief im Wasser, und Laird erkannte schließlich, daß der Schiffsrumpf auf der einen Seite der Länge nach aufgeschlitzt war. Laird schluckte. Er hatte Andy Dawsons Wal und den Grund für Sollers Tod und die Hast und die Eile gefunden, mit der die ›Craig Michael‹ aus der Einfahrt des Kanals geschafft werden sollte. Außerdem wußte er jetzt, für wen die Kisten Frischmilch und die übrigen Vorräte bestimmt waren, die da Costa und Bronner mit der ›Mama Isabel‹ zur Werft transportiert hatten. Die U-Boot-Mannschaft hatte sicher dringend darauf gewartet.

Obwohl er nichts hinter sich gehört hatte, hatte Laird plötzlich das Gefühl, nicht mehr allein zu sein. Dann traf ihn, noch bevor er sich umdrehen konnte, ein harter Schlag am Kopf. Laird fühlte einen stechenden Schmerz und wurde bewußtlos.

Als er wieder zu sich kam, blendete ihn ein greller Lichtschein im Gesicht und er hörte Stimmen. Es dauerte eine Weile, bis ihm einfiel, was eigentlich geschehen war.

Er lag auf dem nackten Betonfußboden, und über ihm an der Decke brannte eine grelle Neonleuchte. Laird drehte den Kopf leicht zur Seite und erstarrte, als ihn dabei ein stechender Schmerz durchzuckte. Im selben Augenblick verstummten die Stimmen, und kurz darauf trat ihm jemand roh in die Seite.

»Sim, er ist wach«, sagte eine heisere Stimme.

Laird versuchte erneut, sich vorsichtig zu bewegen, und merkte dabei, daß man ihm die Hände gefesselt hatte. Er sah auf und starrte genau in das pockennarbige Gesicht des dicken Miguel, der bereits an Lairds erstem Abend in Porto Esco mit ihm Streit gesucht hatte.

»Hebt ihn auf!« befahl da Costas Stimme. »Los, Pedro, hilf Miguel!«

Miguels hagerer Begleiter aus der Bar des Pousada Pico trat neben ihn, und gemeinsam hoben sie Laird auf und setzten ihn anschließend auf eine Kiste. Benommen erkannte Laird, daß er sich in dem flachen Ziegelgebäude befand, das offensichtlich als Vorratsschuppen diente. Um ihn herum stand eine kleine Gruppe von Männern.

»Senhor Laird, Sie hätten Ihre Nase nicht in anderer Leute Angelegenheiten stecken sollen«, begann Jose da Costa schneidend. Da Costas gut geschnittenes braungebranntes Gesicht wirkte im Schein der Neonlampe seltsam bleich, als er sich an den Mann neben ihm wandte: »Não sei . . . wenn wir sicher sein könnten, daß er allein war . . .«

»Er war allein!« Charles Bronner machte einen Schritt vorwärts. Seine Miene war unbeweglich. Dann schlug er Laird plötzlich mit dem Handrücken über den Mund und starrte ihn an. »Miguel hat sonst niemanden gesehen. Seinen Wagen haben wir auch gefunden. Außerdem hast du selbst gehört, wie Novak ihn einen schwierigen Einzelgänger genannt hat.«

»Dann gehen wir also das Risiko ein?« Da Costa schien sich damit nicht recht anfreunden zu können.

Hinter Bronner und da Costa tauchte ein dritter Mann auf. Er war ungefähr in Lairds Alter, trug eine dunkelblaue Hose, einen weißen Rollkragenpullover und Segeltuchschuhe, und beobachtete die Szene gespannt, aber schweigend. Er hatte kurzes blondes Haar, sein Gesicht wirkte blaß und eingefallen, und als sich ihre Blicke begegneten, glaubte Laird in seinen Augen so etwas wie Mitleid zu erkennen. Dann wandte sich der Mann ostentativ ab.

»Warum so nervös, da Costa?« Laird erkannte seine eigene Stimme kaum. »Und was machen Sie, wenn ich Ihnen sage, daß Sergeant Ramos und einige seiner Leute draußen vor dem Werfttor auf mich warten? Würde Sie das beruhigen?«

»Ramos?« Da Costa warf Bronner einen seltsamen Blick zu. »Unmöglich. Wir wissen genau, wo er ist . . .«

»Und was er tut«, ergänzte Bronner mit einem heiseren Lachen. »Jede Woche am selben Tag und um dieselbe Zeit, stimmt's, Jose?«

Da Costa nickte.

»Danken wir Gott, daß es diesen alternden Romeo gibt.« Bronner grinste humorlos. »Nein, Laird, Sie sind unser einziges kleines Problem. Ich weiß zwar nicht, warum Sie eigentlich hergekommen sind, aber Sie haben eindeutig zu viel gesehen.«

»Pech für mich.« Laird hatte einen schlechten Geschmack im Mund. Ihm war klar, daß er mit Hilfe von außen nicht rechnen konnte. Er deutete auf den jungen Mann hinter da Costa und Bronner. »Wollen Sie mich Ihrem seefahrenden Freund nicht vorstellen?«

»Er hält sich aus dieser Angelegenheit lieber 'raus«, entgegnete da Costa kalt.

»Das kann ich ihm nicht verdenken«, murmelte Laird müde. »Er hat vermutlich auch ohne mich genug Probleme. Es gibt schließlich bessere Liegeplätze für ein leckes U-Boot als diese Werft hier. Vor allem, wenn es die meiste Zeit über auf Tauchstation gehen muß. Darf ich fragen, wie es zu dem Leck gekommen ist?«

»Das ist passiert, als das U-Boot in jener Sturmnacht versucht hat, über den Cabo-Esco-Kanal das offene Meer zu erreichen«, erwiderte Bronner zornig. »Sie haben leider recht. Der Käpt'n sitzt hier in der Mausefalle, solange Ihre verdammte ›Craig Michael‹ die Ausfahrt versperrt. Dabei ist das U-Boot schwer beschädigt und muß dringend von hier weg.«

»Eine peinliche Sache«, bemerkte Laird. »Aber Sie haben ja alles Nötige in die Wege geleitet. Wozu eigentlich die ganze Mühe?«

Bronner und da Costa wechselten einen Blick, den Laird nicht deuten konnte. Dann hörte er, wie die beiden Fischer hinter ihm unruhig von einem Fuß auf den anderen traten. Im nächsten Moment machte Bronner da Costa ein Zeichen. Die beiden ließen Laird mit seinen Aufpassern allein, nahmen den blonden U-Boot-Kommandanten beiseite und unterhielten sich leise mit ihm.

Lairds Kopf schmerzte noch immer zum Zerspringen. Laird drehte mühsam seine gefesselten Handgelenke herum und sah seufzend auf die Uhr. Es war kurz vor Mitternacht. Das Hotel Pousada Pico hatte er vor zwei Stunden verlassen.

Schließlich schweifte sein Blick prüfend durch den Lagerraum. Zu entdecken war eine schwere Stahltür, aber keine Fenster. Was Laird jedoch am meisten interessierte, waren die an den Wänden gestapelten Kisten. Sie waren alle ungefähr gleich groß und leicht zu transportieren. Ihre Form . . . Laird hielt plötzlich den Atem an. Er glaubte, endlich verstanden zu haben, worum es eigentlich ging. In diesem Moment kamen Bronner und da Costa zurück. Der blonde U-Boot-Kommandant beobachtete Laird von seiner Ecke aus mit einem merkwürdigen Ausdruck in den blauen Augen.

»Pedro!« Bronner winkte dem Fischer, zu ihm zu kommen. »Hast du noch seine Autoschlüssel?«

Pedro nickte.

»Dann steck ihm seine Sachen wieder in die Taschen. Miguel, du nimmst den alten Revolver, den er bei sich hatte.«

Pedro gehorchte achselzuckend und stopfte Zigaretten und das Feuerzeug in Lairds Hosentaschen.

»Vergiß das Geld nicht«, erinnerte Bronner ihn leise. Bronner wartete, bis Pedro fertig war und musterte dann Laird kalt. »Als

Sie Porto Esco verlassen haben, haben Sie behauptet, Sie wollten nach Faro. Die Straße dorthin ist gefährlich ... besonders nachts. Schade, aber Sie haben unterwegs leider einen Unfall gehabt.«

Da Costa runzelte unwillig die Stirn. »Warum läßt du mich ihn nicht morgen mit auf die Tour nehmen?«

»Damit er dann irgendwo an der Küste wieder angeschwemmt wird?« Bronner schüttelte den Kopf. »Die einfachsten Lösungen sind meistens auch die besten.«

»War das bei Jorges Soller genauso?« meldete sich Laird zu Wort, dem jetzt auch der letzte Rest Hoffnung genommen war. Nur Kati konnte ihnen erzählt haben, daß er nach Faro wollte. Das versetzte ihm den schwersten Schlag. »Habt ihr seinen kleinen Unfall arrangiert?«

Bronners Augen verengten sich zu schmalen Schlitzen. Er nickte.

»Und warum?« wollte Laird wissen.

»Weil er hier eingebrochen hat«, erwiderte Bronner. »Er ist mit seiner Tauchausrüstung um den hohen Drahtzaun herumgeschwommen, hat das Büro aufgebrochen und einige Sachen gestohlen. Als er die Werft wieder verließ, wurde er gesehen. Das ist in der Nacht vor Ihrem Eintreffen in Porto Esco passiert.« Bronner zuckte mit den Schultern. »Wir hatten keine Ahnung, wieviel er gesehen hatte, aber wir haben geahnt, daß ihm die Neugier in der folgenden Nacht wieder hierher treiben würde. Und deshalb haben wir, wie Sie es genannt haben, diesen kleinen Unfall arrangiert. Später haben wir dann sein Motorrad fast an der gleichen Stelle gefunden, wo Sie heute Ihren Simca geparkt haben.«

»Und danach habt ihr sein Boot durchsucht, um sein Tauchbuch zu finden«, ergänzte Laird.

»Sim ... das Tauchbuch und sämtliche andere Notizen, die uns hätten gefährlich werden können«, erklärte da Costa. »Zufällig haben wir nichts gefunden, das uns zu Befürchtungen Anlaß geben konnte, aber wir lassen es eben nie darauf ankommen.«

»Das haben wir in Angola gelernt«, warf Bronner ein. Dann wandte er sich an die beiden Fischer: »Ihr fahrt ihn mit seinem Wagen auf die Straße nach Faro. Ich möchte, daß das Ganze wie ein Unfall aussieht. Ihr wißt also, was ihr zu tun habt.«

»Sim, Senhor Bronner«, erwiderte Miguel gelassen. »Ich kenne da eine geeignete Stelle, ungefähr fünf Kilometer vor Porto Esco. Aber . . . wie kommen wir wieder zurück?«

»Zu Fuß, mein Lieber. Ihr geht einfach nach Hause und dort bleibt ihr dann auch«, sagte Bronner, warf noch einen letzten Blick auf Laird und wandte sich dann ab.

Die beiden Fischer stellten Laird unsanft auf die Beine und stießen ihn zur Tür, die da Costa öffnete. Draußen stand bereits Lairds gelber Simca. Ein Mann mit einem Gewehr über der Schulter hielt daneben Wache, und im Hintergrund erkannte Laird noch einige dunkle Gestalten.

»Adeus, Senhor Laird«, sagte da Costa und grinste spöttisch. »Wissen Sie, Sie und Kati haben unten in der Bucht wirklich eine interessante Vorstellung geboten. Aber vielleicht wäre es das beste gewesen, ich hätte Sie schon dort erschossen.«

Laird wirbelte herum und versuchte trotz gefesselter Hände, ihm einen Fausthieb zu verpassen, doch da Costa sprang lachend zur Seite. Miguel stieß Laird brutal auf den Rücksitz des Wagens. Während Miguel neben Laird Platz nahm und ihn mit Amos' Smith und Wesson in Schach hielt, übernahm Pedro das Steuer.

Da Costa trat von der Tür zurück, machte Pedro ein Zeichen, und sie fuhren los. Pedro lenkte den Simca langsam und ohne das Licht einzuschalten über den Hof. Erst nachdem sie das große Werfttor passiert hatten, flammten die Scheinwerfer auf, und Pedro gab Gas.

»Entspannen Sie sich, Senhor«, rief er Laird über die Schulter zu. »Miguel kann bestätigen, daß ich ein guter Fahrer bin.«

Die beiden Fischer begannen schallend zu lachen.

*

Auf den ersten Kilometern begegnete ihnen lediglich ein Lastwagen, der auf dem Weg nach Porto Esco zu sein schien. Pedro behielt eine mittlere Geschwindigkeit bei und pfiff leise und falsch vor sich hin, während Miguel und Laird schweigend aus dem Fenster in die Dunkelheit hinausstarrten.

Laird dachte angestrengt nach. Er wußte inzwischen, daß es bei der ganzen Sache um ein besonders schmutziges Geschäft, nämlich um Waffenschmuggel ging. Die Kisten und Kartons, die er im Lagerraum hinter der Werft gesehen hatte, glichen denen, die er schon bei rechtmäßig genehmigten Waffenladungen überprüft hatte. Nur fehlte diesmal die genaue Beschriftung.

Er sah Miguel an und fühlte im selben Augenblick, wie dieser ihm die Mündung des Revolvers unsanft in die Seite stieß. Laird biß die Zähne zusammen. Es mußte für ihn noch eine Überlebenschance geben, und wenn sie sich bot, durfte er sie auf keinen Fall verpassen. Was er aufgedeckt hatte, war kein normaler kleiner Waffenschmuggel. Bronner und da Costa schienen die örtlichen Verbindungsmänner zu sein, schienen also Nebenrollen zu spielen . . . was allerdings nichts an der Tatsache änderte, daß sie und ihre Helfershelfer brutal und skrupellos waren.

Die schmale Straße führte jetzt stetig bergan. Die Baumreihen lichteten sich, und bald wurde die Landschaft karstig und kahl.

Plötzlich stieß Pedro einen Fluch aus und deutete in den Rückspiegel. Hinter ihnen war ein anderer Wagen aufgetaucht und kam schnell näher. Auf der linken Seite, über dem Abgrund, wurde die Straße durch eine Holzbalustrade begrenzt. Dahinter fiel der Fels steil ab.

»Policia?« erkundigte sich Miguel und sah sich ängstlich um.

Pedro zuckte mit den Schultern. Er hatte zu pfeifen aufgehört und blickte dauernd in den Rückspiegel. Wenige Sekunden später war der Wagen dicht hinter ihnen, und der Fahrer blendete ungeduldig die Scheinwerfer auf und ab.

»Es ist eine Frau«, erklärte Pedro schließlich sichtlich erleichtert, erneut einen Blick in den Rückspiegel werfend. »Sim . . . und sie ist allein. Ich lasse sie vorbei.«

Pedro nahm Gas weg. Im nächsten Moment raste der Wagen, ein schwarzer VW-Käfer, nach einem letzten ungeduldigen Aufblenden der Scheinwerfer mit hohem Tempo an ihnen vorbei. Seine Fahrerin war nur als schmaler, dunkler Schatten erkennbar. Kurz darauf war das Auto hinter der nächsten Kurve verschwunden.

Pedro zwinkerte Miguel im Rückspiegel triumphierend zu und lehnte sich entspannt in die Polster zurück. Doch nur wenige Sekunden später, hinter der nächsten Biegung, trat er laut fluchend hart auf die Bremse.

Der schwarze Volkswagen stand unmittelbar vor ihnen quer über der Straße. Die Scheinwerfer brannten noch, die Tür auf der Fahrerseite war offen, und eine leblose Gestalt im Regenmantel und mit Kopftuch hing halb aus dem Wagen.

Der Simca kam mit quietschenden Reifen nur wenige Meter vor dem Volkswagen zum Stehen. Noch immer fluchend stieß Pedro die Tür auf und sprang hinaus, während Laird Mühe hatte, einen überraschten Aufschrei zu unterdrücken. Das Gesicht der Frau war von ihnen abgewandt, doch unter dem Kopftuch ragte im Scheinwerferlicht des Simca deutlich erkennbar eine lange braune Haarsträhne hervor.

Pedro war bereits auf halbem Weg zum Volkswagen und versperrte Laird die Sicht, als Miguel plötzlich ein Licht aufzugehen schien. Er griff nach der Türklinke, drückte sie auf und stieß einen Warnruf aus. Eine Sekunde lang war der Revolverlauf nicht mehr auf Laird gerichtet, und das genügte. Laird warf sich mit voller Wucht auf Miguel und schleuderte diesen aus dem Auto.

Als Miguel hart auf die Straße aufschlug, löste sich aus dem Revolver ein Schuß, der jedoch niemanden traf. Laird ließ sich auf Miguel fallen und rammte ihm die Knie in die Magengegend. In diesem Moment ertönte vom Volkswagen her ein Schrei, und es fiel ein zweiter Schuß. Miguel hob trotz seiner Schmerzen die Hand mit dem Revolver.

Laird versetzte ihm mit seinen gefesselten Händen einen wuchtigen Schlag, mit dem er ihn knapp hinter dem linken Ohr traf. Miguel sank mit einem seltsam gurgelnden Laut in sich zusammen, und der Revolver glitt ihm kraftlos aus der Hand.

In letzter Verzweiflung stürzte sich Laird darauf, packte die Waffe und wirbelte, den rechten Zeigefinger am Abzug, zu Pedro und Kati herum, denn von dort erwartete er den nächsten Angriff.

Doch es war alles schon vorbei. Kati lehnte leichenblaß am Volkswagen. In der Hand hielt sie noch immer eine kleine Pistole und starrte auf die leblose Gestalt, die zusammengesunken vor ihren Füßen lag. Laird stand langsam auf. Um Pedro brauchten sie sich keine Sorgen mehr zu machen. Kati hatte ihn genau zwischen den Augen getroffen.

»Er hatte ein Messer«, murmelte Kati mit kraftloser Stimme. »Er . . .«

»Der Kerl hätte dich umgebracht«, unterbrach Laird sie bestimmt. »Du hast aus Notwehr gehandelt. Denk' nicht mehr daran.«

Laird warf Amos' alte Smith und Wesson in den Volkswagen, kniete neben Pedro nieder und nahm das scharfe Fischermesser, das der Tote noch immer in der Hand hielt. Dieses reichte er Kati.

»Durchschneid' mir die Fesseln damit«, bat er sie.

Kati legte die kleine Pistole neben den Revolver auf den Rücksitz und befreite Laird von seinen Fesseln. Laird schloß die Augen, als er spürte, wie langsam und schmerzhaft die Blutzirkulation an seinen Handgelenken wieder in Gang kam. Während er seine Hände und Arme massierte, ging er zu Miguel zurück.

Der dicke Fischer lag mit unnatürlich verrenktem Hals und starrem, glasigen Blick noch an der alten Stelle. Laird schluckte. Sein verzweifelter Schlag mußte Miguel sofort getötet haben. Vermutlich hatte er ihm das Genick gebrochen.

Laird drehte sich langsam nach Kati um, die mit abgewandtem Gesicht am Volkswagen stand, als wolle sie all das, was um sie herum geschehen war, vergessen.

Seufzend blickte Laird über die Straße. Das hohe trockene

Gras raschelte leise im Wind. Langsam trat Laird an die Holzbalustrade, die an der rechten Straßenseite über dem steilen Abhang angebracht war, und starrte nachdenklich in die Tiefe. Schließlich hob er einen Stein auf und warf ihn hinunter. Er hörte ihn lange poltern und rollen, bis er endlich auf dem Boden der Schlucht angekommen war. Entschlossen ging er zu Kati zurück.

»Beide sind tot«, sagte er mit dumpfer Stimme. »Kati, ich muß Zeit gewinnen. Das bedeutet, daß ich hier schnell reinen Tisch zu machen habe. Es kann jederzeit ein Auto vorbeikommen.« Er legte die Hände auf Katis Schultern und drehte sie mit sanfter Gewalt zu sich herum. »Eines muß ich dich allerdings vorher noch fragen: Wieviel weißt du eigentlich?«

»Nichts.« Kati schüttelte benommen den Kopf.

»Wie bist du dann . . .?« Laird sprach den Satz nicht zu Ende.

»Jose hat mich von der Werft aus angerufen und wollte wissen, wo du bist«, berichtete sie schließlich leise. »Als ich ihm gesagt habe, daß du zum Flughafen nach Faro fahren wolltest . . . na ja, die Art, wie er gesprochen hat, war so komisch. Ich hatte das Gefühl, daß etwas nicht stimmt.«

»Deshalb bist du dann vermutlich zur Werft gefahren, ja?«

Sie nickte. »Richtig. Mit Mama Isabels Wagen. Die Pistole gehört auch ihr. Sie bewahrt sie immer in ihrem Schreibtisch auf.« Kati biß sich auf die Unterlippe. »Ich habe am Werfttor gewartet und schließlich gesehen, wie diese beiden mit dir fortgefahren sind. Ich bin euch einfach gefolgt . . . ich mußte doch irgendwas unternehmen.«

»Du hast mir das Leben gerettet.« Laird berührte ihre Lippen leicht mit dem Zeigefinger. »Jetzt bin *ich* an der Reihe. Fahr deinen Wagen an den rechten Straßenrand. Ich muß hier, wie gesagt, reinen Tisch machen.«

Ihre Augen weiteten sich vor Entsetzen. »Aber . . .«

»Für die beiden macht es keinen Unterschied mehr«, wehrte Laird grimmig ab.

Kati nickte, stieg in den Volkswagen und ließ den Motor an. Laird wandte sich ab und trug nacheinander Pedro und Miguel zu seinem Simca, setzte Pedro hinters Steuer und Miguel auf den Rücksitz. Als er damit fertig war, hatte Kati den VW-Käfer bereits an den rechten Straßenrand gefahren und beobachtete ihn durch die Windschutzscheibe.

Laird griff an dem toten Pedro vorbei zum Anlasser. Der Wagen sprang sofort an. Nun drehte Laird das Steuerrad solange herum, bis beide Vorderreifen auf die Holzbalustrade deuteten, dann machte er die Handbremse los, schlug die Tür auf der Fahrerseite zu, ging zum Kofferraum und begann zu schieben.

Mit aufgeblendeten Scheinwerfern rollte der Simca immer schneller vorwärts, durchschlug krachend die Absperrung und stürzte in die Tiefe.

Laird stand am Rand des Abhangs und beobachtete, wie der Wagen sich mehrmals überschlug und in der Schlucht verschwand. Als er unten aufprallte, brannte eine Rückleuchte noch immer. Dann verlosch plötzlich auch das Rücklicht, und eine Stichflamme loderte hoch, als der Benzintank mit einem lauten Knall explodierte.

Laird starrte noch minutenlang bewegungslos auf das brennende Autowrack hinunter, dann ging er zum Volkswagen zurück, bat Kati, auf den Beifahrersitz zu rutschen, nahm hinter dem Steuer Platz und zündete zwei Zigaretten an. Seine Hände zitterten.

»Wir fahren jetzt nach Porto Esco zurück«, eröffnete er Kati und ließ den Motor an. »Es gibt nur einen Mann, der mir helfen kann . . . ob ihm das nun paßt oder nicht.«

Auf dem Rückweg nach Porto Esco begegneten sie außer einem Betrunkenen auf einem Eselkarren niemandem. Die Beleuchtung des Armaturenbretts warf einen sanften rötlichen Schimmer auf Katis ruhige, ernste Züge, während sie Laird zuhörte. Er erzählte ihr, was er in dieser Nacht erlebt hatte, seit er das Hotel verlassen hatte. Als er damit fertig war, starrte Kati eine Weile schweigend aus dem Fenster.

»Mama Isabel hat sehr viel für mich getan«, begann sie dann

langsam. »Falls sie in die Sache verwickelt ist . . .«

»Danach sieht es nicht aus, Kati«, versicherte Laird ihr. »Gut,
Jose ist ihr Sohn. Schon deshalb wird es nicht leicht für sie sein.«
Er zuckte mit den Schultern. »Aber das ist im Augenblick wirklich Nebensache. Allerdings hast du ihren Wagen und ihre Waffe
benutzt. Was passiert, wenn sie oder Jose das herausfinden?«

»Das erfahren sie nie«, erklärte Kati bestimmt. »Jose hat gesagt, daß er heute nacht bei Bronner bleibt . . . er kommt also
nicht ins Hotel zurück.« Kati hielt einen Moment lächelnd inne.
»Und was Mama Isabel betrifft . . . heute ist zufällig der einzige
Tag in der Woche, von dem ich sicher weiß, daß sie anderweitig
sehr beschäftigt ist.«

»Sergeant Ramos?« warf Laird ein und grinste, als Kati nickte.
»Wie lange bleibt er für gewöhnlich?«

»Ungefähr bis zwei Uhr morgens. Dann verschwindet er meistens durch die hintere Hoftür. Er wohnt in der Polizeistation.«

»Glaubst du, daß um diese Zeit noch jemand auf dem Polizeirevier ist?«

»Nein.« Kati sah ihn verdutzt an. »Es ist nur bis Mitternacht
besetzt. »Die beiden Konstabler wohnen außerhalb der Stadt.«

»Ausgezeichnet«, murmelte Laird erleichtert.

Aber wenn er daran dachte, was er vorhatte, tat ihm der
Polizeisergeant von Porto Exco schon beinahe leid.

Manuel Ramos war ein Gewohnheitstier. Es war genau zwei Sekunden nach zwei Uhr morgens, als sich die hintere Hoftür des
Hotels Pousada Pico öffnete.

Andrew Laird, der im Schatten der Hofmauer in der kleinen
Seitenstraße frierend und todmüde gewartet hatte, atmete erleichtert auf und beobachtete, wie sich Ramos und Mama Isabel
im spärlich beleuchteten Türrahmen zärtlich voneinander verabschiedeten.

Isabel da Costa, eine zierliche Gestalt im weißen, langen Mor-
genrock, trat schließlich ins Haus zurück und schloß die Tür.
Sergeant Ramos blieb noch einen Augenblick gedankenverloren

stehen, zündete sich ein Zigarillo an und schlenderte dann gemächlich die Gasse entlang. Er trug keine Uniform, sondern eine Cordhose und Pullover.

»Bom dia, Sergeant«, sagte Laird gelassen und trat im letzten Moment aus dem Schatten der Hofmauer. »Haben Sie einen schönen Abend verlebt?«

Sergeant Ramos verschluckte sich vor Schreck und nickte hustend.

»Ausgezeichnet.« Laird trat näher. Dann musterte er den Sergeant stirnrunzelnd. »Sergeant, Sie haben vergessen, Ihre Hose zu verschließen.«

»Obrigado«, murmelte Ramos verlegen und sah an sich herunter. »Ich . . .«

Er erstarrte, als Laird ihm die Achtunddreißiger Smith und Wesson in die Rippen stieß.

»Das ist ein verdammt großer Revolver«, sagte Laird leise. »Ich benutze ihn nur ungern. Also tun Sie lieber, was ich sage. Vorwärts!«

Laird stieß den Sergeant zu einer schwachen Straßenlaterne, unter der der Volkswagen parkte. Kati saß hinter dem Steuer. Sie beugte sich auf die andere Seite hinüber und öffnete die Tür zum Beifahrersitz.

»Bitte, setzen Sie sich auf den Rücksitz, Sergeant«, forderte Laird ihn höflich auf. »Wir bringen Sie ganz kostenlos nach Hause.«

Ramos gehorchte wortlos. Laird ließ sich neben ihn in die Polster fallen, schlug die Tür zu, und im nächsten Augenblick lenkte Kati den Volkswagen auf die Straße. Dann protestierte Ramos zum ersten Mal.

»Senhor Laird, was Sie tun, ist . . . ist . . .«

»Ein schweres Vergehen?« ergänzte Laird freundlich.

Ramos fuhr sich mit der Zunge über die Lippen. »Das ist Menschenraub.« Er beugte sich vor und warnte Kati eindringlich: »Senhorita Kati, wenn Ihre Tante wüßte . . .«

»Sie wäre sicher nicht einverstanden«, stimmte Kati ihm zu

und sah ihn durch den Rückspiegel an. »Manuel, wir erwecken vielleicht den falschen Eindruck, aber wir brauchen unbedingt Ihre Hilfe . . . und meine Tante vielleicht bald auch. Also tun Sie, was Andrew Ihnen sagt.«

Sergeant Ramos schüttelte wütend und verwirrt zugleich den Kopf und schwieg, bis sie das Polizeirevier erreicht hatten. Das Gebäude lag völlig im Dunkeln, und Kati parkte den Volkswagen auf der Rückseite im Schatten des Leichenschauhauses. Sie stiegen aus. Laird hielt Sergeant Ramos noch immer mit dem Revolver in Schach, als dieser die Seitentür des Reviers aufschloß.

»Gehen wir in Ihr Büro«, schlug Laird vor und hinderte Ramos daran, das Licht einzuschalten. »Erst wenn wir die Jalousien heruntergelassen haben.«

Sie warteten, bis Kati sämtliche Rolläden geschlossen hatte, dann musterte Ramos im grellen Bürolicht die beiden wütend.

»Dieser Mann muß verrückt sein«, wandte sich Ramos heftig an Kati. »Anders ist es kaum zu erklären . . .«

»Setzen Sie sich!« forderte Laird den Sergeant grimmig auf. Als Ramos mit hochrotem Kopf und funkelnden Augen hinter seinem Schreibtisch Platz genommen hatte, griff Laird nach dem Telefonhörer. »Passen Sie auf, Sergeant. Ich werde nun ein Telefongespräch führen. Es geht dabei um einige Leute, die jetzt sicher annehmen, daß ich bereits tot bin . . . und wenn sie erfahren, daß dem nicht so ist, wird das bestimmt ein harter Schlag für sie sein. Aber nach diesem Anruf habe ich die Gewißheit, die ich brauche. Und Sicherheit bedeutet für mich alles.«

Ramos' Miene verfinsterte sich noch mehr. »Sie müssen wirklich verrückt sein.« Er schüttelte den Kopf. »Kati . . .«

Er schwieg, als er in Katis Hand die kleine Pistole von Mama Isabel sah, die das Mädchen direkt auf ihn gerichtet hielt.

»Manuel, Sie scheinen noch immer nicht begriffen zu haben, wie ernst die Lage ist«, sagte sie ruhig. »Auf der Strecke nach Faro liegen zwei verkohlte Männer in einem ausgebrannten Wagen. Sie sind an dem Mord an Jorges Soller beteiligt gewesen. Also halten Sie endlich den Mund!«

Um zwei Uhr morgens war das internationale Telefonnetz zum Glück nicht mehr überlastet, und die Verbindung mit Osgood Morris' Privatnummer in London kam in wenigen Sekunden zustande. Es dauerte jedoch über eine Minute, bis am anderen Ende der Hörer abgenommen wurde und sich der Leiter der Schadensabteilung der Clanmore Alliance mit schläfriger Stimme meldete.

»Mann Gottes, wissen Sie überhaupt, wie spät es ist?« protestierte Morris ärgerlich, als er Lairds Stimme hörte. »Sie haben sogar meine Frau aufgeweckt . . .«

»Dann sagen Sie ihr, daß sie ruhig weiterschlafen kann«, entgegnete Laird ungerührt. »Tut mir leid, aber es ist dringend.«

»Dringend?« wiederholte Morris verständnislos. »Wenn es um die ›Craig Michael‹ geht . . .«

»Der Tanker ist nicht der Hauptgrund für meinen Anruf«, unterbracht Laird ihn hastig. Ramos hörte ihm gespannt zu. »Ich brauche Ihre Hilfe, Osgood. Sie müssen vermutlich den Vorsitzenden des Verwaltungsrats dazu bringen, sich für uns einzusetzen. Okay, also einige Leute halten mich bereits für tot . . .«

»Sie sind ja stockbesoffen, Mann!« brüllte Morris wütend. »Ich lege jetzt auf . . .«

»Ich bin stocknüchtern und halte den Polizeisergeant von Porto Esco gerade mit einem Revolver in Schach«, unterbrach ihn Laird rasch. »Mir gefällt das nicht, und ihm gefällt's noch viel weniger. Also rufen Sie bitte einige ihrer netten Kontaktleute im Verteidigungsministerium an. Der Boss kennt doch außerdem noch ein paar Admiräle. Sagen Sie ihnen, daß der Grund dafür, daß die ›Craig Michael‹ so überstürzt aus dem Cabo Esco-Kanal gezogen werden soll, ein U-Boot ist, das in der Bucht praktisch wie in einer Mausefalle festsitzt. Ich habe das U-Boot gesehen. Es hat ein großes Leck an der Seite. Ganz in der Nähe an Land ist übrigens in einem Schuppen ein enormer Waffenvorrat gelagert.«

Am anderen Ende war es ein Weilchen still.

»Ist das Ihr Ernst?« fragte Morris schließlich.

»Sogar mein voller«, versicherte Laird.

»Dann seien Sie um Himmels willen vorsichtig«, riet Morris ihm zerknirscht. »Wir haben inzwischen Näheres über die Ladung erfahren, die auf die ›Craig Michael‹ wartet. Es ist jetzt sicher, daß der Auftrag über die russische Handelsmission in London läuft. Also . . .«

»In diesem Fall sollten Sie sich lieber folgende Nummer notieren.« Laird gab ihm die Nummer des Polizeireviers durch. »Sagen Sie Ihren Freunden, daß ich unbedingt einen portugiesischen Verbindungsmann brauche. Aber einen, der die nötigen Vollmachten hat und dessen Autorität auch mein Freund, der Sergeant hier, nicht anzweifeln wird. Er soll mich dann so schnell wie möglich zurückrufen.«

Damit legte Laird auf, seufzte und fing Ramos' Blick auf.

»Mein Englisch ist nicht besonders gut, Senhor«, begann der Sergeant vorsichtig. »Ist das, was Sie gerade gesagt haben, wahr?«

Laird nickte.

»Obrigado.« Sergeant Ramos schüttelte traurig den Kopf, stand auf und nahm, ohne auf Lairds Waffe zu achten, eine Flasche Brandy und drei Gläser aus einem Schrank. »Wenn wir schon warten müssen, dann machen wir's uns wenigstens gemütlich.«

Genau zwanzig Minuten später klingelte das Telefon auf dem Schreibtisch des Sergeant. Ramos hob den Hörer ab, meldete sich und gab das Gespräch an Laird weiter.

»Ich will mich kurz fassen, Mr. Laird«, sagte eine sympathische, aber energische Stimme am anderen Ende. »Ich rufe aus Lissabon an. Wir haben gemeinsame Freunde in London, die mich darüber informiert haben, daß Sie in Schwierigkeiten sind. Hm . . . ich hoffe, die Lage hat sich inzwischen nicht verschlechtert?«

»Noch nicht«, erwiderte Laird knapp.

»Okay. Wir sind interessiert. Würde es Ihnen was ausmachen, noch einige Zeit als tot zu gelten?«

»Wenn Sie es wollen . . . selbstverständlich nicht.«

»Ausgezeichnet.« Laird hörte, wie der Mann am anderen Ende leise mit jemandem sprach. »Es ist das beste, Sie verhalten sich in den nächsten Stunden ruhig. Lassen Sie sich nirgends blicken. Meine Leute treffen gegen Mittag in Porto Esco ein. Wir haben vorher noch einiges zu erledigen. Sie verstehen?«

»Ja.«

»Dann geben Sie mir jetzt bitte Sergeant Ramos. Jemand möchte mit ihm sprechen.«

Laird drückte Ramos wortlos den Hörer in die Hand. Der Sergeant hörte einen Moment zu und stand dann plötzlich stramm wie ein Soldat beim Appell. Nachdem er nur immer wieder genickt und ›jawoll!‹ gerufen hatte, legte er schließlich auf und trank einen großen Schluck Brandy.

»Na?« erkundigte sich Kati ungeduldig.

»Der Anruf kam direkt aus dem Präsidentenpalast.« Ramos holte tief Luft. »Ich bin angewiesen worden, Sie auf jede erdenkliche Weise zu unterstützen. Ich muß mich bei Ihnen entschuldigen, Senhor Laird . . . aber die ganze Welt scheint verrückt geworden zu sein.«

»Willkommen im Irrenhaus«, seufzte Laird. »Ich werde Ihnen gleich erzählen, was wir wissen. Danach machen Sie mir in Ihrer besten Zelle ein Bett zurecht und bringen Kati ins Hotel zurück.« Laird grinste. »Im übrigen hoffe ich, daß Sie gut und überzeugend lügen können. Der ausgebrannte Wagen soll noch vor Sonnenaufgang gefunden werden, und ich möchte, daß Sie allen erzählen, es hätten drei und nicht nur zwei Leichen im Wrack gelegen.«

Ramos nickte ernst, griff nach der Brandyflasche, goß sein Glas randvoll und leerte es in einem Zug.

»Wissen Sie was, Senhor Laird?« erkundigte er sich mit trauriger Miene. »Ich bin im Rechnen immer miserabel gewesen.«

6

Die Zelle im Polizeirevier von Porto Esco war alles andere als komfortabel, aber Laird war so todmüde, daß ihn nichts mehr kümmerte. Er schlief bereits, bevor er sich auf dem Strohsack ganz ausgestreckt und die Decke über sich gezogen hatte.

Als er wieder aufwachte, stand Sergeant Ramos neben seiner Pritsche, und durch das schmale vergitterte Fenster fiel strahlender Sonnenschein.

»Bom dia«, wünschte ihm Ramos lächelnd. »Möchten Sie von den Toten auferstehen? Ich habe Ihnen das Frühstück gebracht.«

»Danke.« Laird schwang gähnend die Beine über den Pritschenrand und mußte feststellen, daß sein Kopf schnelle Bewegungen noch immer nicht vertrug. Auf seiner Uhr war es neun, und die üblichen Verkehrsgeräusche von der Straße her deuteten darauf hin, daß die Bewohner von Porto Esco längst auf den Beinen waren. Dann wurde ihm die Bedeutung von Ramos' Bemerkung klar. »Wo bin ich im Augenblick offiziell?«

»Im Leichenschauhaus von Tavira. Das ist die nächste größere Stadt zwischen Porto Esco und dem Flugplatz von Faro«, erklärte Ramos, während Laird sich anzog. »Tja, es scheint so, als haben einige Leute noch in der Nacht überraschende Anrufe aus Lissabon erhalten. Jedenfalls ist bereits alles arrangiert gewesen. In meinem Bericht steht, daß der ausgebrannte Wagen von einem Autofahrer entdeckt worden ist, der im Morgengrauen nach Faro unterwegs war. Er hat die Polizei in Taviro alarmiert. Die Beamten dort haben wiederum mich verständigt und mir gesagt, daß sie den Fall übernehmen werden. Im Wrack wurden drei Leichen gefunden.«

»Gut.« Laird ging zu dem kleinen Tisch, auf dem das Frühstückstablett mit Kaffee, Schinken, Eiern und Butterbroten stand. Hungrig begann er zu essen. »Sind Sie draußen gewesen?«

»Ja, als man die Leichen fortgebracht hat«, antwortete Ramos.

»Es ist kein schöner Anblick gewesen. Außer unserem Pathologen wird jedenfalls niemand unangenehme Fragen stellen. Unser Doktor ist sicher verärgert, daß ihm das Honorar für die Autopsie durch die Lappen geht.«

»Und was ist mit Ihren Konstablern?« wollte Laird wissen.

»Sie sind beide auf Streife in der Stadt und haben von alledem überhaupt noch nichts mitbekommen.« Ramos grinste. »Ich bin übrigens heute morgen schon im Hotel Pousada Pico gewesen und habe dort die traurige Nachricht von Ihrem Ableben verbreitet. Alle waren erschüttert gewesen.«

»Das tut gut«, murmelte Laird.

»Ich habe Mama Isabel gebeten, Ihre Sachen zu packen«, fuhr Ramos fort. »Und sie will Kati damit zu mir schicken. Auf diese Weise haben wir ein Pfand, bis sich Ihre nächsten Verwandten melden und die Rechnung bezahlen.«

»Sie sorgen wirklich dafür, daß alle zu ihrem Recht kommen«, entgegnete Laird trocken.

»Ich gebe mir jedenfalls Mühe«, erklärte Ramos. »Senhor, sobald Sie gefrühstückt haben, können Sie sich in meinem Badezimmer rasieren und frisch machen. Die Tür ist am anderen Ende des Korridors auf der linken Seite. Es ist vielleicht besser, wenn Sie in meiner Wohnung bleiben. Ich muß damit rechnen, daß hier heute einige Leute aufkreuzen, die besonders an Ihnen interessiert sind.«

Laird nickte und musterte den bulligen Sergeant prüfend.

»Eine unangenehme Situation für Sie, Sergeant, was?«

Ramos nickte verlegen.

»Isabel da Costa, stimmt's?« Laird seufzte. »Ich habe Ihnen doch gestern nacht schon gesagt, daß sie mit der Sache vermutlich nichts zu tun hat.«

»Okay, dann soll ich sie also einfach anlügen«, entgegnete Ramos heiser. »Und diese Lügen sind nur der Anfang . . . Jose ist ihr Sohn.«

»Aber wir haben keine andere Wahl«, murmelte Laird.

Ramos nickte mit düsterer Miene und ging.

Zwanzig Minuten später war Andrew geduscht, rasiert und angezogen. Er spähte durch eine Ritze der Jalousie vor Ramos' Zimmerfenster. Er kämpfte bereits gegen die ersten Symptome von Nervosität und Ungeduld an.

Sein Blick reichte über die sonnenbeschienenen Dächer von Porto Esco bis zur blau glitzernden Wasseroberfläche der Bucht hinunter. Doch was dort unten auch vor sich ging, Laird konnte nur ein einzelnes Fischerboot sehen.

Seufzend wandte Laird sich ab. Er kam sich wie ein Gefangener vor, und Ramos' Zimmer bot kaum mehr Komfort als die Zelle, in der er übernachtet hatte. Die Einrichtung bestand lediglich aus einem Bett, einem Sessel, einem Schrank und einer Waschnische. Ramos' Sonntagsuniform hing auf einem Bügel an der Tür. Der persönlichste Gegenstand im Raum war ein Foto von Isabel da Costa auf dem Nachttisch.

Laird sank in den Sessel und zündete sich seine vorletzte Zigarette an. Offiziell für tot erklärt worden zu sein, das hatte sicher seine Nachteile, aber es gab ihm jedenfalls Zeit zum Nachdenken. Irgendwo draußen in der Bucht lag ein schwerbeschädigtes U-Boot mit seiner ganzen Mannschaft fest, es saß wie die Maus in der Falle, solange die Einfahrt des Cabo Esco-Kanals durch die ›Craig Michael‹ versperrt war.

Und dieser Zustand hielt bereits seit einer Woche an. Laird schnitt eine Grimasse, als er an das müde, eingefallene Gesicht des jungen, blonden U-Boot-Kommandanten dachte. Er konnte sich lebhaft vorstellen, unter welchen Spannungen der Mann in den letzten Tagen zu leiden hatte.

Doch ganz offensichtlich war das U-Boot lediglich als günstiges Transportmittel mißbraucht worden. Die näheren Umstände dieses Auftrags waren Laird allerdings noch nicht klar. Er beobachtete nachdenklich eine Fliege, die aufgeregt durch das Zimmer summte.

Die friedliche kleine portugiesische Küstenstadt schien ein Umschlagplatz für Waffenlieferungen an bisher noch unbekannte Käufer zu sein. Eine schnelle Motorjacht wie die ›Mama

Isabel‹ eignete sich ausgezeichnet für den raschen Weitertransport, und die Companhia Tecnico war ein idealer Stützpunkt.

Jorges Soller war der einzige gewesen, der diesem Unternehmen hätte gefährlich werden können, und deshalb mußte er sterben. Laird wußte, daß er nur um Haaresbreite demselben Schicksal entgangen war. Alles Weitere hing hauptsächlich davon ab, ob Bronner und da Costa die Geschichte von dem Unfall auf der Bergstraße schluckten.

Falls sie tatsächlich von seinem Tod überzeugt waren, gab es für sie keinen Grund mehr, ihre Pläne zu ändern.

Laird hatte die brennende Zigarette in der Hand beinahe vergessen und zog jetzt hastig daran, während er sich noch einmal alles, was seit seiner Ankunft in Porto Esco geschehen war, ins Gedächtnis zurückrief. Irgend etwas hatte ihn schon früher fast unbewußt stutzig gemacht, doch er konnte sich einfach nicht mehr erinnern, was es gewesen war.

Laird bekam erneut Kopfschmerzen. Er drückte die Zigarette im Aschenbecher aus und seufzte. Eines war sicher. Selbst ein Sklaventreiber wie Harry Novak, der von seinem Team das letzte an Einsatz forderte, würde für seine Vorbereitungen zwei Tage brauchen, bevor er den ersten Versuch unternehmen konnte, die ›Craig Michael‹ flottzumachen.

So lange saß das U-Boot jedenfalls noch in der Falle.

Schließlich stand Laird auf, ging zum Arzneikasten neben dem Waschbecken, nahm ein Röhrchen Aspirintabletten heraus und schluckte eine Tablette. Er wollte das Röhrchen gerade wieder zurücklegen, als er im untersten Fach einen in weiche Tücher gewickelten Gegenstand entdeckte.

Grinsend nahm er ihn heraus und ging damit zum Sessel. Sorgfältig entlud er die alte Smith und Wesson von Kapitän Amos und begann, die Waffe zu reinigen.

Als Beschäftigungstherapie war es nicht besser als Korbflechten, aber es hatte den Vorteil, daß er das nächste Mal, falls er gezwungen sein sollte, den Revolver zu benutzen, beim Abdrücken ein wesentlich sicheres Gefühl haben konnte.

Die Zeit verstrich nur langsam. Dann hörte er plötzlich, wie draußen ein Wagen hielt, der nach ungefähr zwanzig Minuten wieder abfuhr. Kurz darauf erschien Sergeant Ramos.

»Trabalha«, begann er grimmig. »Die Sache kommt ins Rollen. Gerade ist Charles Bronner bei mir gewesen und hat mir gesagt, er habe gehört, Sie seien bei einem Unfall ums Leben gekommen. Er wollte wissen, ob das wahr sei.« Ramos zuckte mit den Schultern. »Senhor Bronner hat 'ne Menge Fragen gestellt . . . und von mir die Antworten darauf bekommen.«

»Hat er Ihnen geglaubt?« wollte Laird wissen und legte den Revolver beiseite.

Sergeant Ramos nickte zufrieden. »Sim. Ich habe ihm gesagt, daß wir die beiden Männer, die bei Ihnen im Wagen saßen, noch nicht identifizieren konnten, da die Leichen fast völlig verkohlt seien. Wir nähmen jedoch an, daß es sich um Anhalter handle.« Ramos zündete sich ein Zigarillo an. »Das klang ganz plausibel, denn inzwischen müssen sie ja wissen, daß Pedro und Miguel vermißt werden. Wenn wir Glück haben, glauben sie wirklich, daß es ein Unfall gewesen ist.«

»Sie werden immer besser, Sergeant Ramos«, bemerkte Laird.

»Das macht die schlechte Gesellschaft, in die ich geraten bin«, entgegnete Ramos grinsend, ging hinaus und kam kurz darauf mit einer kleinen Flasche Waffenöl wieder. Er stellte sie schweigend neben Laird auf den Nachttisch und verschwand.

Es verging eine weitere Stunde, bis Laird erneut Schritte auf dem Korridor hörte. Er hatte die Waffe inzwischen gereinigt und wieder zusammengebaut. Dann ging die Tür auf, und Kati kam gefolgt von Ramos, herein. In der Hand trug sie Lairds Reisetasche. Kati sah blaß und übernächtigt aus, war ungeschminkt und hatte Bluejeans und einen dunkelblauen Pullover an. Sie lächelte erleichtert, als sie Laird sah.

»Ich habe mir schon Sorgen um dich gemacht«, sagte sie errötend. »Aber ich konnte nicht früher weg.«

»Jetzt bist du ja da.« Laird küßte sie zärtlich auf den Mund und hielt sie einen Augenblick an sich gepreßt, während Sergeant Ramos verlegen auf den Fußboden starrte. »Es tut mir leid, daß ich dich in die Geschichte mit reingezogen habe.«

»Unsinn, das ist doch mein eigener Entschluß gewesen.« Kati ging zum Fenster hinüber und blickte durch die Ritzen der Jalousie hinaus. Das Sonnenlicht zauberte seltsame Muster auf ihr schönes Gesicht.

Ramos räusperte sich und ging dann schweigend aus dem Zimmer. Nachdem sich die Tür hinter ihm geschlossen hatte, herrschte eine Weile absolute Stille im Raum.

»Es ist alles wie ein Alptraum«, sagte Kati dann unvermittelt und drehte sich zu Laird um. »Andrew, ich . . .« begann sie mit tonloser Stimme, ». . . ich habe gestern nacht einen Mann erschossen.«

»Ich habe ebenfalls jemanden umgebracht«, entgegnete Laird leise. »Es ist verständlich, daß dich das bedrückt, aber du solltest dir deswegen keine Gedanken mehr machen. Wir hatten keine andere Wahl . . . das weißt du doch.« Laird führte sie zum Sessel und drückte sie sanft in die Polster. »Hat es im Hotel Schwierigkeiten gegeben?«

»Nein.« Kati strich sich eine Haarsträhne aus der Stirn, holte tief Luft und brachte sogar ein Lächeln zustande. »Niemand weiß, daß ich mir Tante Isabels Wagen und ihre Pistole ausgeliehen habe. Es ist alles wieder an seinem Platz.«

»Wie war es heute morgen?«

»Du meinst, nachdem uns Sergeant Ramos die Nachricht von deinem Tod überbracht hat?« Bei der Erinnerung daran verzog Kati das Gesicht. »Mama Isabel ist ganz außer sich gewesen. Mary Amos war dem Weinen nahe. Doch das Schlimmste war, daß die beiden mich wie ein krankes Kind behandelt haben.« Kati sah zu Laird auf. »Ich habe natürlich mitgespielt . . . aber ich bin mir dabei einfach gemein vorgekommen.«

Laird nickte verständnisvoll. »Ist Jose im Hotel gewesen?«

»Er ist kurz nachdem Sergeant Ramos gegangen war, aufgetaucht und hat auch so getan, als fände er das Ganze sehr bedauerlich.« Kati lachte bitter. »Als ich deine Sachen gepackt hatte, hat er mir sogar angeboten, mich hierher zu fahren, aber ich habe abgelehnt und mir lieber Mama Isabels Wagen ausgeliehen.«

»Damit ist die Sache für dich erledigt«, erklärte Laird bestimmt. »Von jetzt an hast du damit nichts mehr zu tun.«

»Irrtum.« Kati straffte entschlossen die Schultern. »Solange ich helfen kann, werde ich das auch tun.«

»Na gut.« Laird ließ sich auf keinen Streit ein. »Was ist sonst noch passiert?«

Kati runzelte die Stirn. »Die Hochseeschlepper sind eingelaufen. Kurz nach Sonnenaufgang lagen sie schon vor Cabo Esco. Nach allem, was sich die Leute erzählen, müssen es riesige Pötte sein.«

»Hm«, murmelte Laird. Novaks kleine Flotte war also pünktlich eingetroffen. »Wo ist Harry Novak jetzt?«

»Draußen bei den Schleppern. Er hat das Hotel mit seinen beiden Tauchern sofort nach dem Frühstück verlassen.«

»Hat er sich wenigstens auch noch bedauernd über mein Ableben geäußert?« wollte Laird wissen.

»Nicht, daß ich wüßte.« Kati mußte unwillkürlich lächeln. »Aber er ist überhaupt nicht sehr gesprächig gewesen. Sein abendliches Rendezvous mit Mary Amos ist wohl nicht ganz nach seinem Geschmack verlaufen.«

Laird hob fragend eine Augenbraue.

»Mama Isabel hat das Ende mitbekommen.« Kati zwinkerte Laird zu. »Zu fortgeschrittener Stunde sind die beiden in die Bar hinübergegangen. Novak hat bereits schwer geatmet und ziemlich plumpe Annäherungsversuche gemacht, bis Mary Amos ihm plötzlich einen Krug Wasser über den Kopf geschüttet und ihn einfach in der Bar sitzen lassen hat.«

Laird grinste über Mary Amos' Strafaktion und zuckte dann die Achseln. »Harry Novak ist eine zwielichtige Persönlichkeit, aber ich glaube kaum, daß er die Hintergründe der ganzen Geschichte kennt. Er weiß vermutlich nur, daß er den Tanker wieder flottmachen soll.«

»Ja, möglich.« Kati seufzte. »Was machen wir eigentlich jetzt?«

»Wir warten. Solange die Regierungsbeamten aus Lissabon nicht hier sind, können wir gar nichts unternehmen.« Laird sah Kati eindringlich an. »Mach ja keine Dummheiten, Kati. Ich gelte weiterhin als tot, und du sagst keiner Menschenseele etwas. Klar?«

»Ja.« Kati warf einen Blick auf die Uhr. »Ich muß ins Hotel zurück, sonst wird Mama Isabel noch mißtrauisch. Heute nachmittag ist sicher viel Betrieb.«

»Warum?« fragte Laird.

»Um drei Uhr wird Jorges Soller beerdigt. Es wird 'ne Menge Leute am Begräbnis teilnehmen . . . und vorher und nachher die Bar bevölkern.«

Laird erwiderte nichts. Tote erscheinen normalerweise nicht auf Beerdigungen . . . es sei denn auf ihrer eigenen.

Kati war längst gegangen, als Laird hörte, daß erneut ein Wagen vor dem Polizeirevier anhielt. Im nächsten Moment ertönten Stimmen im Bereitschaftsraum, und Sergeant Ramos steckte den Kopf zur Tür herein.

»Kommen Sie bitte mit, Senhor Laird«, forderte Ramos ihn aufgeregt auf. »Die Herren aus Lissabon sind da . . . zwei Marineoffiziere.« Als Laird ihm den Gang entlang in den Bereitschaftsraum folgte, fügte der Sergeant hinzu: »Niemand wird Sie sehen. Einer meiner Leute hält vor der Tür Wache.«

Im Büro des Sergeant erwarteten sie zwei Fremde in Zivil. Der eine war groß, dunkelhaarig und hatte ein hageres Gesicht. Er begrüßte Laird lächelnd.

»Ich freue mich, Sie kennenzulernen, Mr. Laird«, sagte er mit deutlich amerikanischem Akzent. »Tut mir leid, daß wir nicht früher kommen konnten, aber wir haben inzwischen auch nicht geschlafen. Zuerst möchten wir uns vorstellen . . .«

Laird betrachtete prüfend die beiden Dienstausweise, die man ihm reichte. Der Mann mit dem amerikanischen Akzent war

Captain David Alder von der US-Marine, und sein Begleiter war Captain Filipe Ribeiro vom portugiesischen Geheimdienst. Ribeiro war ein kleiner, untersetzter Mann mit freundlichem Gesicht, aber kühlem, berechnendem Blick.

»Wir sind beide NATO-Offiziere«, erklärte Alder. »Unser Chef von der Ostatlantik-Abteilung wollte eigentlich Engländer schicken, aber die Briten haben ein unvergleichliches Talent, zu verschwinden, wenn es um unangenehme Angelegenheiten geht.« Er deutete auf Ribeiro. »Und ich warne Sie. Unser Freund Filipe ist nicht ganz so gutmütig, wie er aussieht.«

Ribeiro brummte Unverständliches vor sich hin und sah dann Sergeant Ramos an, der sich diskret im Hintergrund hielt.

»Schon gut, Sie können bleiben, Sergeant«, sagte er mit sanfter Stimme. »Aber die Unterhaltung bleibt streng geheim. Verstanden?«

Ramos nickte und rückte hastig einige Stühle an seinen Schreibtisch. Laird und die beiden NATO-Offiziere setzten sich.

»Okay, kommen wir zur Sache«, begann Alder bereits wesentlich energischer. »Sie haben da etwas aufgedeckt, das uns verdammt viel Kopfzerbrechen machen wird.«

»Vor allem uns Portugiesen«, warf Ribeiro grimmig ein. »Wir möchten die Geschichte von Anfang an hören. Nehmen Sie es uns nicht übel, wenn wir Zwischenfragen stellen.«

Alder stellte ein kleines Tonbandgerät auf den Tisch, schaltete es ein und nickte Laird auffordernd zu. Laird berichtete, was er bisher erlebt und gesehen hatte, und danach nahmen ihn Alder und Ribeiro ins Kreuzverhör. Auch Sergeant Ramos wurde ab und zu ins Gespräch mit einbezogen.

Schließlich tauschten die beiden NATO-Offiziere einen Blick, und Alder schaltete das Tonbandgerät wieder aus. Laird fühlte sich völlig erschöpft und ausgelaugt und nahm gierig die Zigarette, die Ribeiro ihm anbot.

»Tja, jetzt wissen wir also Bescheid«, begann dann Alder. »Ihr U-Boot scheint ein älteres russisches, dieselgetriebenes Boot zu sein. Genau das haben wir vermutet. Stimmt's, Filipe?«

Ribeiro nickte.

»Haben Sie denn gewußt, daß es hier in der Bucht liegt?« Laird starrte die beiden Offiziere verblüfft an.

»Nein.« Alder schüttelte den Kopf. »Das haben wir erst durch Sie erfahren. Aber wir wußten, daß hier an der Küste irgendwas im Gange ist. In den letzten Wochen haben unsere Leute von der Funküberwachung laufend fremde Funksignale aufgefangen, deren Herkunft sie nicht feststellen konnten.« Er zuckte mit den Schultern. »Außerdem sind die Russen in dieser Gegend merkwürdig aktiv geworden. Ein russisches Spionageschiff treibt sich seit einiger Zeit als Fischkutter getarnt an der Grenze der portugiesischen Hoheitsgewässer herum. Unsere Luftaufklärung hat ständig ein U-Boot-Mutterschiff mit Zerstöreskorte überwacht, das sich von der im Mittelmeer stationierten Flotte abgesetzt hat und seitdem vor dieser Seite von Gibraltar kreuzt.«

»Sie haben uns nur die Antworten auf die Fragen gegeben, die wir uns seit Wochen stellen mußten«, erklärte Ribeiro. »Wir hatten nämlich nicht die geringste Ahnung, daß Waffen an Land gebracht worden sind.«

»Tja, das ist uns wirklich neu«, stimmte Alder ihm zu. »Ort und Zeitpunkt sind ganz ungewöhnlich. Illegale Waffengeschäfte werden zwischen vielen Ländern gemacht, aber warum ausgerechnet hier?«

»Meine Leute sind da auf eine mögliche Erklärung gestoßen, die allerdings noch geprüft werden muß«, warf Ribeiro ein. »Die Sache ist verdammt wichtig für uns. Der Demokratisierungsprozeß in diesem Lande ist noch nicht abgeschlossen. Es gibt genügend Spannungen. Allerdings . . .« Ribeiro hielt kopfschüttelnd inne.

Laird rutschte ungeduldig auf seinem Stuhl hin und her.

»Was wollen Sie dagegen unternehmen?« erkundigte er sich scharf. »Oder glauben Sie, Sie könnten die Sache am grünen Tisch erledigen?«

»Wir warten auf Befehle«, erwiderte Alder gelassen.

»Senhor Laird, diese Sache verlangt Fingerspitzengefühl«, wurde Ribeiro etwas deutlicher. »Sie ist sowohl für uns als auch für die Russen peinlich. Kein Wunder, daß sie alles daransetzen, diesen Tanker wieder flottzumachen.«

»Die Sache ist peinlich, meinen Sie?« entgegnete Laird ungläubig. »Ist das alles, was Sie dazu zu sagen haben? Und was ist mit dem Mord an Soller und dem Gemetzel von gestern nacht?«

»Beruhigen Sie sich.« Alder wurde rot. »Mein Gott, denken Sie doch mal nach! Ich rede nicht von da Costa oder Charles Bronner und ihren Waffengeschäften . . . diesen Burschen können wir das Handwerk legen, sobald wir mehr darüber wissen. Aber stellen Sie sich doch mal die diplomatischen Verwicklungen vor, wenn wir uns an einem russischen U-Boot samt Besatzung vergreifen!«

Als alle schwiegen, fuhr Alder fort: »Wenn es sich bei dem U-Boot tatsächlich um eines von der Ula-Klasse handelt, dann sind dreißig Mann an Bord. Nach allem, was Sie uns erzählt haben, taucht es nachts auf, um die Batterien aufzufüllen. Das bedeutet, daß das U-Boot nicht nur ein Leck hat, sondern daß auch der Schnorchel beschädigt ist. Ich möchte jetzt weiß Gott nicht in der Haut des Kommandanten stecken.«

»Auch nicht, wenn ich täglich frische Milch und andere Lebensmittel an Bord geliefert bekäme«, ergänzte Ribeiro.

»Na, jedenfalls arbeitet der beste Bergungsfachmann, den man sich denken kann, für sie auf der ›Craig Michael‹«, warf Laird bitter ein. Als er sah, daß sein Sarkasmus keinen Eindruck machte, fügte er hinzu: »Und was ist mit da Costa und Bronner?«

»Das ist eine andere Kategorie«, antwortete Alder hastig. Er wandte sich an seinen Kollegen: »Filipe . . .«

»Sim, wir wissen einiges über die beiden«, erklärte Ribeiro und lehnte sich auf seinem Stuhl zurück. »Wir sind zum ersten Mal während der Kämpfe in Angola auf die beiden aufmerksam geworden. Damals bestand der Verdacht, daß Charles Bronner drüben mehr als nur ein Ingenieur gewesen ist. Er soll angeblich den marxistischen Flügel der Unabhängigkeitsbewegung tatkräftig unterstützt haben. Da Costa stand unter demselben Verdacht, aber . . .« Ribeiro zuckte mit den Schultern, ». . . wie Sie wissen, stammt er aus einer angesehenen Familie. Sein Vater ist Offizier gewesen und in diesem Krieg gefallen.«

Laird nickte und dachte an Isabel da Costa. Sie hatte viel mitgemacht.

»Wir haben gezögert, zuzufassen«, bekannte Ribeiro. »Und als dann zum Schluß alles drunter und drüber gegangen ist, sind da Costa und Bronner untergetaucht. Wir haben erst wieder von ihnen gehört, als sie hier mit einer Gruppe von Flüchtlingen auftauchten, die offensichtlich einiges auf sich genommen hatten, um aus Angola rauszukommen.«

»Auf diese Weise haben die beiden ihre Tarnung aufrechterhalten und hier diese Firma gründen können«, sagte Alder und kaute nachdenklich auf seiner Unterlippe. »Soviel Sie also gehört haben, will da Costa morgen nacht eine Fahrt mit seiner ›Mama Isabel‹ unternehmen, stimmt's?«

Laird nickte.

»Tja, Sie sind zwar Zivilist . . . und noch dazu einer, der offiziell bereits tot ist«, sagte Alder grinsend. »Wir könnten Sie natürlich einfach ausfliegen lassen . . . aber Sie wissen eben verdammt gut über alles Bescheid.« Er rieb sich die Nase. »Außerdem hat mir ein gewisser Mr. Morris von der Clanmore Alliance mitteilen lassen, daß er Sie als Beobachter in Porto Esco belassen möchte. Werden Sie bleiben?«

»Ja«, antwortete Laird.

»Gut.« Alder dachte nach. »Sie kennen sich doch im Bergungsgeschäft aus. Ich möchte, daß Sie für uns beobachten, was heute auf der ›Craig Michael‹ passiert. Wir sind für jede Information dankbar.« Er deutete auf Sergeant Ramos. »Hier geht alles seinen gewohnten Gang. Sobald es nötig ist, schicken wir Verstärkung.«

»Und wie soll Ramos Ihren Besuch erklären?« wollte Laird wissen.

»Der Sergeant wird überall erzählen, daß zwei Beamte der britischen Botschaft hier gewesen sind, um sich routinemäßig nach den Umständen Ihres Todes zu erkundigen.«

Ribeiro nickte. »Wir sind in Tavira. Das ist mit dem Wagen von hier in einer halben Stunde zu erreichen. Könnten Sie nach Einbruch der Dunkelheit dort aufs örtliche Polizeirevier kommen?« Er schmunzelte. »Und bringen Sie dieses Mädchen Kati mit, das Ihnen so selbstlos geholfen hat. Ich möchte es gern kennenlernen.«

»Tja, das wär's dann.« Alder sah auf seine Uhr. »Wir gehen jetzt lieber. Ich lasse Admiräle nur ungern warten.«

Die beiden standen auf, und Sergeant Ramos begleitete sie hinaus. Als er zurückkam, nahm er eine Flasche Brandy aus dem Schrank, füllte zwei Gläser und reichte eines Laird.

»Sergeant«, murmelte Laird, »Sie sind der einzige zivilisierte Mensch in der ganzen Stadt.«

Sie leerten ihre Gläser, und Ramos füllte sie mit ernster Miene erneut.

Zwei Stunden später fuhr Andrew Laird auf einem alten Fahrrad durch die engen Gassen von Porto Esco, und selbst seine besten Freunde hätten ihn in seiner Verkleidung nicht erkannt.

Die Nachmittagssonne brannte erbarmungslos auf die Stadt hernieder. Hunde bellten den vorbeifahrenden Laird an, schwatzende Frauen gaben ihm nur widerwillig den Weg frei, und einige Kinder riefen ihm sogar Schimpfworte nach.

Laird grinste. Er trug eine alte Hose, ein fleckiges Jackett, ein kragenloses Hemd, und hatte einen verbeulten breitrandigen Strohhut tief ins Gesicht gezogen. Über der linken Schulter trug er einen schmutzigen Seesack, in dem sich Amos' gereinigter Pullover und eines der Ferngläser befanden, die von der Polizei auf Jorges Sollers Boot sichergestellt worden waren.

Sergeant Ramos hatte ihm die Kleidungsstücke und das Fahrrad beschafft, das Fernglas zur Verfügung gestellt und ihn anschließend durch die Hintertür ins Freie gelassen.

Laird fuhr unbeirrt weiter, hatte bald den Stadtrand erreicht und bog in eine schmale Straße ein, die schließlich vor einer Schafweide endete. Dort stieg er ab, lehnte das Fahrrad gegen den Zaun, kletterte über diesen und ging zu Fuß weiter.

Wenige Minuten später lag er flach auf dem Bauch über dem Klippenrand auf der Seeseite der felsigen Halbinsel von Cabo Esco. Eine steife Brise wehte über die See und zerrte an seinen Kleidern, während er das geschäftige Treiben um die ›Craig Michael‹ beobachtete.

Einige Arbeitsboote und der kleine Schlepper der Companhia Tecnico lagen in der schmalen Fahrrinne zwischen der Felsküste und dem Heck des Tankers. Laird hob das Fernglas an die Augen und richtete es zuerst auf die der See zugewandte Seite der ›Craig Michael‹, wo nebeneinander in einiger Entfernung die drei Hochseeschlepper in Wartestellung vor Anker lagen.

Laird befiel ein seltsam nostalgisches Gefühl, als er die ›Scomber‹, die ›Beroe‹ und die ›Santo Andre‹ in seinem Glas sah. Sein Blick schweifte über die vertrauten Aufbauten der ›Scomber‹. Trotz Novak war die Zeit auf diesem Hochseeschlepper schön und interessant und abwechslungsreich gewesen.

Einige Matrosen waren an Deck dabei, die riesigen Seilwinden zu überprüfen. Laird kannte die Reihenfolge der Vorbereitungen genau, doch noch war es für die drei Hochseeschlepper nicht soweit.

Laird zündete sich eine Zigarette an und richtete dann das Fernglas auf die kleinen Boote, die am Heck der ›Craig Michael‹ eifrig Markierungs-Bojen für das wichtige und gefährliche Unternehmen legten, das dem Tanker noch bevorstand. Laird entdeckte Novak schließlich an Bord eines schnellen Motorbootes, das ständig zwischen den kleinen Schiffen und dem Tanker hin- und herflitzte.

Laird wartete gelassen in seinem Versteck und ahnte, was passieren würde, als er sah, daß die Taucher auftauchten und an Bord des kleinen Schleppers gingen. Minuten verstrichen, dann erfolgten mehrere kleinere Unterwasserexplosionen. Als sich die

Wasseroberfläche wieder geglättet hatte, sprangen die Taucher erneut ins Meer.

Harry Novak war dabei, genau wie er angedeutet hatte, sämtliche Riffe wegzusprengen, die beim Flottmachen des Tankers im Weg sein konnten. Mit Sprengstoff hatte Novak von jeher gern gearbeitet.

Laird blieb während der Sprengarbeiten, die sich über mehrere Stunden hinzogen, auf dem Klippenrand. Dann steckte er das Fernglas in den alten Seesack, ging nachdenklich zu der Weide zurück, wo er sein Fahrrad abgestellt hatte, und machte sich auf den Rückweg. Während er über die unebene Straße fuhr, hoffte er inständig, daß Sergeant Ramos inzwischen seine Bitte erfüllt hatte.

Als Laird schließlich Porto Esco wieder erreicht hatte und mehrere hundert Meter vor dem Hotel Pousada Pico in die Küstenstraße einbog, war diese fast völlig vom Trauerzug für Jorges Soller blockiert.

Neugierig drängte sich Laird mit seinem Fahrrad durch die Menge der Schaulustigen und bog erst dann wieder in eine stille Seitenstraße ein, nachdem er gesehen hatte, daß sowohl Jose als auch Isabel da Costa am Trauerzug teilnahmen. Kurz darauf hatte er die kleine Gasse erreicht, die hinter dem Hotel Pousada Pico verlief.

Kaum hatte er beim Hotel angehalten, trat Kati Gunn aus dem Seiteneingang, starrte ungläubig auf die alten Sachen, die er trug, und winkte ihn dann herein. Laird lehnte das Fahrrad gegen die Hofmauer und folgte ihr.

»Du hast es also geschafft«, sagte sie erleichtert. »In dem Aufzug ist das kein Wunder. Sergeant Ramos hat mir gesagt . . .«

»Ich muß mit dir sprechen«, unterbrach Laird sie hastig. »Kati, ich möchte Joses Zimmer durchsuchen.« Als er ihren überraschten Gesichtsausdruck sah, fuhr er fort: »Wenn er schon die Frechheit besitzt, an Sollers Beerdigung teilzunehmen, dann sollten wir die Chance nützen.«

Kati zögerte einen Moment und nickte dann. »Ich bin ganz allein im Hotel . . . alle anderen sind auf der Beerdigung. Sie glauben, ich müßte mich von dem Schock über deinen Tod erholen. Okay, bringen wir's gleich hinter uns.«

Am leeren Empfang nahm Kati einen Schlüssel aus der Schublade.

»Das ist unser Hauptschlüssel«, erklärte sie dabei. »Jose hat das erste Zimmer rechts im obersten Stock, und wir können . . .«

»Nein, Kati, das mache ich allein.« Laird entwand ihr sanft den Schlüssel. »Für dich habe ich eine andere Aufgabe. Hat Jose Telefon auf seinem Zimmer, wie die anderen Gäste?«

Kati nickte verwirrt.

»Gut, dann bleibst du in der Telefonvermittlung und hältst Wache. Laß es zweimal läuten, sobald es Schwierigkeiten gibt.«

Bevor Kati noch etwas sagen konnte, rannte Laird, den Seesack noch immer über der Schulter, die Treppen in den obersten Stock hinauf. Er fand Joses Zimmertür sofort, schloß sie auf und schlüpfte hinein. Hinter sich sperrte er wieder sorgfältig ab.

Jose da Costas Zimmer war größer als der Raum, den Laird bewohnt hatte, aber andere große Unterschiede gab es nicht. Allerdings besaß da Costa eine breite Ledercouch, purpurrote Vorhänge und einen riesigen Wandspiegel.

Laird durchsuchte den Raum gründlich, konnte jedoch, abgesehen von einer Schachtel Patronen, Kaliber 5,5, nichts Interessantes finden und ging schließlich in das angrenzende Badezimmer hinüber.

Das Schränkchen über dem Waschbecken enthielt allerdings auch nichts, das Laird weitergebracht hätte. Er wollte sich schon enttäuscht abwenden, als sein Blick auf das Waschbecken selbst fiel. Einer plötzlichen Eingebung folgend, griff er in den Zwischenraum zwischen Wand und Waschbeckenrand und zog ein in Ölpapier eingewickeltes Päckchen hervor. Er öffnete es und betrachtete grimmig die kleine, geladene Pistole, den portugiesischen Paß, der auf den Namen Luis Camacha lautete, und das dicke Bündel Hundertdollarscheine. Er hatte offensichtlich da

Costas Notfallration entdeckt.

Laird zählte das Geld. Es waren insgesamt dreitausend Dollar. Er legte das Bündel beiseite, blätterte den Paß durch und stutzte, als er die Visastempel sah. Da Costa schien in letzter Zeit mindestens sechsmal in Spanien gewesen zu sein.

Noch während Laird Pistole, Paß und Geld wieder in das Ölpapier packte und hinter das Waschbecken steckte, klingelte das Telefon im angrenzenden Zimmer zweimal.

Fluchend richtete sich Laird auf und rannte zur Tür. Er hatte gerade diese abgeschlossen und den Flur erreicht, als er da Costas und Bronners Stimmen auf der Treppe hörte.

Damit war ihm der Fluchtweg abgeschnitten, und da Costa und Bronner kamen rasch näher. Laird wirbelte herum und drückte die Türklinke des nächsten Zimmers auf dem Korridor herunter. Es war nicht abgesperrt. Laird stürzte hinein und machte hastig die Tür hinter sich zu. Im nächsten Moment fiel sein Blick auf Mary Amos, die mitten im Zimmer stand und ihn entsetzt anstarrte. Dann, als sie ihn erkannte, schüttelte sie ungläubig den Kopf und öffnete den Mund, um zu schreien.

»Still!« flüsterte er, packte sie am Arm und preßte ihr die Hand auf den Mund. »Es ist alles in Ordnung. Seien Sie um Himmels willen nur still . . . Ihrem Mann zuliebe!«

Mary Amos nickte, und gemeinsam horchten sie auf die leisen Stimmen von da Costa und Bronner. Dann wurde da Costas Zimmertür aufgeschlossen und wieder zugemacht. Als alles ruhig war, ließ Laird Mary Amos endlich los.

»Entschuldigen Sie«, flüsterte er.

»Sie . . .« Mary Amos schluckte. »Alle denken, daß Sie . . .«

»Wie Sie sehen, bin ich noch ganz lebendig.« Er lächelte. »Allerdings ist es im Augenblick sehr vorteilhaft, tot zu sein.«

»Wie soll ich das verstehen?« Mary Amos sommersprossiges Gesicht bekam langsam wieder Farbe. Sie setzte sich auf den Bettrand. »Weiß Kati Bescheid?«

Laird nickte und machte Mary Amos ein Zeichen, wieder ruhig zu sein. Da Costas Zimmertür hatte sich geöffnet. Laird hörte die beiden Männer herauskommen. Dann wurde die Tür geschlossen, Schritte näherten sich dem Treppenhaus und waren im nächsten Moment verhallt. Aufatmend sah sich Laird wieder nach Mary Amos um und entdeckte zum ersten Mal den geöffneten Koffer auf ihrem Bett.

»Gehen Sie auf das Schiff zurück?« erkundigte er sich.

»Ja, das Boot wartet bereits am Pier auf mich. Eigentlich sollte ich längst fort sein, aber ich habe noch ein bißchen eingekauft und dann . . .«

». . . dann bin ich hier aufgetaucht«, ergänzte Laird und dachte krampfhaft nach. »Hören Sie, Mrs. Amos, verlangen Sie jetzt keine langen Erklärungen von mir, aber sagen Sie Ihrem Mann, sobald Sie wieder an Bord der ›Craig Michael‹ sind, daß ich unbedingt mit ihm sprechen muß. Ich versuche heute abend . . . vermutlich spät . . . irgendwie an Bord zu kommen.«

»Dann müssen wir auch Andy Dawson und die anderen einweihen«, entgegnete Mary Amos und wurde plötzlich rot. »Sie können ihnen vertrauen.«

Laird erklärte sich zähneknirschend damit einverstanden. »Das Problem ist nur, wie ich hier wieder rauskomme.«

»Ist Kati unten?«

»Ja.«

»Männer!« murmelte Mary Amos und schnitt eine Grimasse. »Ihr macht alles so schrecklich kompliziert.«

Damit hob sie den Telefonhörer ab, wartete, bis sich jemand meldete und sagte leise etwas. Dann legte sie wieder auf.

»Sie sind weg«, verkündete sie. »Kati hat mir erzählt, daß Jose unterwegs Bronner getroffen und danach den Trauerzug verlassen hat. Jose wollte hier angeblich nur seine Sonnenbrille holen. Jetzt ist die Luft rein.«

Zehn Minuten später sprang Laird hinter dem Polizeirevier vom Fahrrad und klopfte an die Tür des Leichenschauhauses. Sergeant Ramos ließ ihn herein.

»Ist alles gut gegangen?« erkundigte sich Ramos auf dem Weg zu seinem Zimmer.

»Ja, ich habe Glück gehabt«, antwortete Laird, zog die geborgten Fetzen aus und schlüpfte wieder in die eigenen Sachen. »Sergeant, ich gebe Ihnen einen guten Rat: Unterschätzen Sie nie eine Frau . . . gleich welchen Alters. Ich tue das dauernd und erlebe immer wieder dieselbe Überraschung.«

Ramos runzelte die Stirn. »Moment, das verstehe ich nicht.« Er dachte einen Augenblick nach. »Aber vielleicht will ich es auch nicht verstehen.«

Kurz nach Sonnenuntergang holte Kati Laird mit Mama Isabels VW-Käfer ab. Während der halbstündigen Fahrt nach Tavira unterhielten sie sich angeregt . . . jedoch nicht über die Ereignisse der letzten Tage.

Tavira war eine wesentlich größere Stadt als Porto Esco. Es hatte bereits Geschäftsstraßen, einige Hotels, Bars und Apartmenthäuser. Sie fanden das Polizeirevier sofort und parkten den Volkswagen auf dem Hinterhof.

Als Laird dem Beamten im Bereitschaftsraum seinen Namen nannte, führte dieser sie sofort einen langen Korridor entlang in ein Büro, in dem Captain Alder und Captain Ribeiro bereits warteten.

Kaum hatte sich die Tür hinter dem Beamten wieder geschlossen, stellte Laird Kati vor. Die beiden NATO-Offiziere waren von ihr sofort sehr angetan.

»Vielen Dank, daß Sie gekommen sind«, sagte Alder, nachdem sie sich gesetzt hatten. Er hatte nur Augen für Kati.

»Wieviel weiß Senhorita Gunn eigentlich?« fragte Ribeiro dann sachlich Laird.

Dieser zuckte die Achseln. »Soviel wie ich. Das bin ich ihr schuldig gewesen.«

»Wir haben auch nichts dagegen«, versicherte ihm Alder sofort. »Im Augenblick sollten wir Sie vielleicht über den neuesten Stand unserer Ermittlungen informieren. Wir haben jetzt die örtliche Polizei angewiesen, bekanntzugeben, daß die beiden Leichen, die man zusammen mit Ihnen in Ihrem Wagen gefunden hat, als Pedro und Miguel identifiziert wurden. Sergeant Ramos wird sich um alles kümmern. Länger konnten wir damit nicht mehr warten. Wichtiger ist allerdings noch die Tatsache, daß Filipes Leute vom Geheimdienst zu wissen glauben, wohin diese Waffenlieferungen gehen.«

»Nach Spanien«, erklärte Laird gelassen.

Alder und Ribeiro starrten ihn überrascht an. »Wie kommen Sie darauf?« erkundigte sich Ribeiro schließlich.

Laird berichtete ihnen von dem Päckchen hinter Jose da Costas Waschbecken. »Es paßt doch alles prima zusammen«, setzte er dann hinzu. »Wenn da Costa nur einen Kontaktmann treffen will, dann kann er ganz legal auf dem Landweg über die Grenze. Aber sobald er eine Ladung abliefern muß, benutzt er die ›Mama Isabel‹. Er braucht nur nachts von Porto Esco durch den Golf von Cadiz zu fahren, um vor Sonnenaufgang wieder zurück zu sein.«

»So ungefähr haben wir uns das auch vorgestellt«, stimmte Alder ihm zu. »Spanien ist nämlich ein möglicher NATO-Bündnispartner, und seit dem Tod Francos sind unsere Beziehungen besser als früher. Wir haben erfahren, daß die Spanier schon lange wissen, daß sowjetische Waffen eingeschmuggelt und an Leute verteilt werden, die darauf brennen, sie auch zu benutzen.«

»Warum gehen die Waffen dann nicht direkt, sondern über einen Mittelsmann nach Spanien?« wollte Laird wissen.

»Weil das Risiko hier in Portugal geringer ist«, erwiderte Alder und warf Ribeiro einen beinahe entschuldigenden Blick zu. »Schließlich gibt es hier viele Sympathisanten, die sich auch offen zu ihrer Einstellung bekennen können. Und wenn die Spanier mal ein portugiesisches Boot mit Waffen aufbringen, dann ist das keine Staatsaffäre. Bei einem russischen Schiff allerdings . . .«

»Okay, ich hab's begriffen«, sagte Laird. »Aber was wollen Sie jetzt dagegen unternehmen? Oder schieben Ihre Vorgesetzten die Entscheidung aus politischen Gründen noch immer vor sich her?«

Alder und Ribeiro tauschten einen flüchtigen Blick. Dann wandte sich Alder an Kati: »Was, glauben Sie, würden Leute wie Ihre Tante in dieser Situation tun? Würden sie eine saubere oder eine schmutzige Lösung bevorzugen?«

»Eine saubere.« Katis Mund wurde schmal. »Aber das ist nicht möglich, nicht wahr?«

»Nicht ganz, doch wir haben viele Gründe, uns Mühe zu geben.« Alder sah Laird an. »Wie weit ist dieser Novak mit dem Tanker?«

Laird runzelte die Stirn. »Es sieht so aus, als ginge alles glatt. Näheres weiß ich allerdings erst, wenn ich heute nacht mit Kapitän Amos gesprochen habe.«

Alder und Ribeiro lächelten zufrieden.

»Sie wollen also an Bord der ›Craig Michael‹ gehen«, sagte dann Ribeiro. »Vielleicht können wir Ihnen dabei helfen. Und später . . . später könnten Sie möglicherweise uns helfen. Das heißt, wenn . . .« Er hielt inne und warf Kati einen fragenden Blick zu. ». . . wenn Senhorita Gunn allein nach Porto Esco zurückkehren möchte.«

»Warum sollte ich?« erkundigte sich Kati erstaunt.

»Tja, weil es besser ist, wenn alles ganz normal aussieht«, entgegnete Alder grimmig. »Diesen Anschein müssen wir noch eine Weile erwecken. Außerdem brauchen wir jemanden in Porto Esco, der die Augen offen hält. Würden Sie das übernehmen?«

Kati sah Laird an, der nickte.

»Dann mache ich mich lieber gleich auf den Heimweg«, sagte Kati daraufhin entschlossen und stand auf. »Je schneller ich zurückkomme, desto besser. Mama Isabel wird sich freuen. Aber . . .« Sie musterte Alder stirnrunzelnd. »Ich hoffe auf eine saubere Lösung, Captain.«

»Was Ihre Tante betrifft, werden wir unser Bestes versuchen«, versicherte Alder ihr. »Laird, Sie bleiben bei mir. Filipe . . .«

Ribeiro begleitete Kati zur Tür. Bevor sie hinausging, blieb Kati noch einmal stehen und blickte liebevoll Laird an. Dann war sie verschwunden.

»Okay, Captain«, wandte sich Laird an Alder. »Was kann ich für Sie tun?«

Alder lächelte. »Nicht viel. Wir dachten nur, wir sollten uns mal zusammen mit Ihnen das U-Boot ansehen.«

7

Neunzig Minuten später fuhr von der Polizeistation in Tavira ein kleiner Konvoi ab. Im Volvo-Kombi, der vorausfuhr, saßen Laird und die beiden NATO-Offiziere. Ihnen folgte ein Lieferwagen mit einem portugiesischen Korporal in Zivil am Steuer, und zwei Soldaten. Ein Gummiboot mit Außenbordmotor lag unter der Plane auf der Ladefläche.

Captain Alder fuhr den Volvo. »Ich habe Ihnen übrigens noch gar nicht erzählt, daß wir zwei unserer Leute in Porto Esco eingeschleust haben. Sergeant Ramos weiß Bescheid«, sagte er unvermittelt, als sie sich Porto Esco näherten.

Laird sah ihn erstaunt an. »Aha, und was sollen die beiden dort?«

»Oh, ihr Auftrag lautet nur, Augen und Ohren offenzuhalten, Senhor Laird«, erklärte Ribeiro vom Rücksitz aus.

»Wir wollen schließlich im Ernstfall nicht in der Minderzahl sein«, sagte Alder. »Da Costa und Bronner haben immerhin noch sechs, wenn nicht mehr Leute zur Verfügung . . .«

»Abgesehen von der Mannschaft des U-Bootes?« warf Laird ein.

»Ja.« Während der restlichen Fahrt schwiegen sie. Nur Ribeiro, der eine Karte auf den Knien hatte, gab Alder ab und zu Anweisungen und paßte auf, daß der Lieferwagen in Sichtweite blieb.

Schließlich tauchte das Meer vor ihnen auf. Alder schaltete ebenso wie der Lieferwagen die Scheinwerfer aus und hielt in einer flachen Bucht an. »Ich glaube, das ist die günstigste Stelle«, sagte er und sah Laird an. »Was meinen Sie?«

Laird maß die Entfernung zu den Lichtern von Porto Esco, die in der Ferne blinkten. Sie waren noch ein gutes Stück von der Companhia Tecnico entfernt, doch Laird konnte die Markierungsbojen der Werfteinfahrt bereits deutlich erkennen. Dahinter waren noch heller die Lichter sichtbar, die die Ausfahrt des Cabo-Esco-Kanals zur See bezeichneten.

»Ja, näher kommen wir nicht ran«, stimmte Laird ihm zu.

»Gut, dann bringen wir Sie jetzt zuerst zum Tanker.« Alder sah zum Lieferwagen zurück. Die drei Soldaten hatten das Gummiboot bereits abgeladen und hoben gerade den Außenbordmotor in die Halterung. »Gehen wir.«

Sie stiegen aus dem Volvo. Ribeiro machte den Kofferraum auf, holte drei schwarze Overalls heraus und warf Laird und Alder je einen zu. Nachdem sie sich umgezogen hatten, holte Alder noch eine kleine Ledertasche aus dem Volvo, dann folgten sie den drei Männern aus dem Lieferwagen, die inzwischen ebenfalls Overalls trugen, zum Strand.

Die Marinesoldaten hatten das Gummiboot bereits ins Wasser gesetzt. Alder, Ribeiro, Laird und der mit einer Maschinenpistole bewaffnete Korporal setzten sich in das Boot. Die beiden anderen Soldaten blieben zurück.

Das Gummiboot war schnell, und die Fahrt verlief ohne größere Zwischenfälle. Sie mußten nur einmal einem Fischerboot ausweichen, doch zehn Minuten später hatten sie bereits den Cabo-Esco-Kanal erreicht. Sie stellten den Motor ab und ruderten weiter. Schließlich machten sie unter der Strickleiter, die an der Bordwand der ›Craig Michael‹ hing, fest.

»Ich gehe mit Ihnen an Bord«, verkündete plötzlich Alder zu Lairds Überraschung. »Keine Sorge, ich werde Ihren Kapitän Amos schon nicht fressen. Aber so wie die Sache aussieht, sollte ich mal mit ihm reden.«

Laird kletterte als erster die Strickleiter hoch, Alder folgte ihm dicht auf den Fersen. Ribeiro und der Korporal blieben im Gummiboot zurück.

Kaum waren sie an Deck, trat Jody Cruft aus dem Schatten eines Rettungsbootes. Er schwang ein umwickeltes Stahlrohr und ließ die Waffe enttäuscht sinken, als er Laird erkannte.

»Der ›Alte‹ erwartet Sie bereits«, brummte er mit einem mißtrauischen Blick auf Alder. »Ich bringe Sie zu ihm.«

Kapitän Amos und seine Frau Mary waren in der Kapitänskajüte. Von Andy Dawson oder Cheung war nichts zu sehen, und auch Jody Cruft zog sich sofort wieder zurück.

»Ich wollte allein mit Ihnen reden«, erklärte Amos nach kurzer Begrüßung. »Jody, Andy und Cheung halten an Deck Wache . . . für alle Fälle.«

Laird nickte, lächelte Mary Amos kurz zu und deutete dann auf Alder.

»Das ist Captain Alder von der US-Navy«, stellte er vor.

»Willkommen an Bord, Sir«, sagte Amos. »Nach allem, was Mary mir erzählt hat, kann mich heute gar nichts mehr überraschen.«

»Ihre Frau hat uns, soweit ich unterrichtet bin, viel geholfen«, erwiderte Alder höflich.

Amos warf seiner Frau einen flüchtigen Blick zu. »Darf ich Ihnen einen Drink anbieten?«

Laird und Alder nickten gleichzeitig. Mary Amos griff sofort nach der bereitstehenden Whiskyflasche und füllte vier Gläser. Während sie langsam ihren Whisky tranken, erklärte Alder Kapitän Amos in groben Zügen, worum es ging. »Ich hoffe, daß Sie jetzt begreifen, warum ich Sie bitten muß, den Anordnungen Ihrer Reederei zu folgen. Für uns ist es genauso wichtig, daß die ›Craig Michael‹ wieder flottkommt, wie für die Gegenseite. Kann ich mit Ihnen rechnen?«

Amos trank einen Schluck Whisky und sah Laird an. Als dieser unmerklich nickte, zuckte er schließlich mit den Achseln.

»Also gut, einverstanden«, sagte Amos resigniert.

»Danke.« Alder schien sichtlich erleichtert. »Was auch passiert, Sie und Ihre Leute sind nicht in Gefahr . . . vorausgesetzt, Sie tun, worum ich Sie gebeten habe.«

Amos' Blick ging wieder zu Laird. »Ich habe heute einen Funkspruch von meiner Reederei erhalten. Sobald wir wieder flott sind, lassen sie eine Mannschaft einfliegen.«

»Wie lange wird es noch dauern?« erkundigte sich Laird. »Was schätzt Novak?«

»Er braucht auf alle Fälle noch zwei Tage für die Vorbereitungen«, erwiderte Amos. »Am dritten Tag, bei Flut, also um vier Uhr morgens, will er es dann das erstemal versuchen.«

»Trotz allem versteht er seinen Job«, murmelte Mary Amos widerstrebend.

»Ich wünsche Ihnen jedenfalls viel Glück«, seufzte Alder und sah auf die Uhr. »Käpt'n, wir müssen jetzt leider gehen.«

Sie tranken ihren Whisky aus, verabschiedeten sich von Mary Amos und folgen dem Kapitän an Deck.

»Bleiben wir in Verbindung?« erkundigte sich Amos, als sie die Strickleiter erreicht hatten.

»Wenn es notwendig sein sollte«, erwiderte Alder ausweichend.

Amos wartete an Deck, bis sie die Strickleiter hinuntergeklettert waren. Er verschwand, als das Gummiboot ablegte und Kurs auf die Werft nahm.

Sie hatten kaum einige Meter zurückgelegt, als Laird Alder am Arm packte. »Was sollte das Geschwätz, daß Sie genauso interessiert sind, daß die ›Craig Michael‹ freikommt, wie die Gegenseite?«

Ribeiro, der den Außenbordmotor bediente, lachte verhalten.

»Keine Angst, wir wissen schon, was wir tun«, erwiderte Alder. »Die Besatzung der ›Craig Michael‹ hat mit der Geschichte im Grunde nichts zu tun. Wir wollen nicht, daß sie noch mit hineingezogen wird.«

Laird schwieg verbissen. Er glaubte Alder kein Wort. Kaum hatte das Gummiboot die ersten beiden Bojen am Eingang der Fahrrinne zur Companhia Tecnico erreicht, schaltete Ribeiro den Außenbordmotor ab. »Wenn Ihr U-Boot-Kommandant klug ist, dann hat er die Horchgeräte in Betrieb und wir wollen ihn doch nicht schon vorzeitig warnen, oder?« murmelte Ribeiro dicht an Lairds Ohr, als er die Ruder verteilte.

Von da an paddelten sie geräuschlos weiter, bis vor ihnen die Gebäude der Companhia Tecnico als dunkler Komplex auftauchten. Laird sah sich kurz um, um sich zu orientieren, und gab dann leise seine Anweisungen. Das kleine Boot glitt lautlos an der großen Helling und dem Hauptpier vorbei, bis Laird glaubte, daß sie ungefähr auf Höhe der versteckten tiefen Fahrrinne auf der Rückseite der Werft waren.

»Hier muß es sein«, flüsterte er.

Sie hörten zu paddeln auf, und während das Gummiboot weitertrieb, sah Alder auf seine Uhr.

»Es ist kurz vor Mitternacht«, sagte er leise. »Das U-Boot müßte jetzt bald auftauchen.«

Alder öffnete die kleine Ledertasche, die er mitgebracht hatte und nahm ein ungewöhnlich großes Fernglas heraus. »Das ist ein Infrarot-Fernglas«, erklärte er leise, als er Lairds Blick bemerkte.

Sie warteten schweigend, während Alder das Fernglas auf das Werftgelände richtete und es nach einer Weile an Laird weiterreichte.

Laird hob das Glas an die Augen. Mit diesem Instrument war die Dunkelheit kein Problem mehr. Man sah in der Nacht wie am Tag, nur hatte alles einen leicht rötlichen Schimmer. Laird ließ seinen Blick über die Gebäude, Kräne und Hellinge der Companhia Tecnico schweifen und hielt abrupt inne, als er am Ende der Pier die ›Mama Isabel‹ an einer Boje leicht auf den Wellen schaukeln sah. Alder mußte die Motorjacht ebenfalls bemerkt haben. Laird gab Alder das Fernglas zurück.

»Da ist da Costas Boot«, murmelte Laird. »Bis Mitternacht haben wir noch etwas Zeit. Wie wär's, wollen wir der Jacht einen Besuch abstatten?«

Alder sah fragend zu Ribeiro, der nachdenklich auf seiner Unterlippe kaute, bevor er zustimmend nickte.

Sie griffen erneut nach den Paddeln und gingen Minuten später neben der ›Mama Isabel‹ längsseits.

Laird kletterte als erster an Bord und kauerte im Schatten des Ruderhauses nieder. Kurz darauf folgte Ribeiro. Laird warf noch einen Blick zur verlassenen Pier hinüber, dann schlich er geduckt zur Tür zum Steuerhaus. Sie war offen. Zusammen mit Ribeiro betrat er das dunkle Innere des schmalen Cockpits. Nachdem sie mit Ribeiros kleiner Taschenlampe alles ausgeleuchtet hatten, schlichen sie weiter in den winzigen Kartenraum.

Während ihm Ribeiro mit seiner Taschenlampe leuchtete, durchsuchte Laird sämtliche Karten. Sie waren alle von der portugiesischen Südküste, der angrenzenden spanischen Küste und dem Golf von Cadiz, jedoch unmarkiert und damit für sie nutzlos.

Jetzt war nur noch der Inhalt einer Schublade unter dem Kartentisch übrig. Laird zog die Lade auf und betrachtete achselzuckend verschiedene Navigationsgeräte, bis sein Blick auf ein abgegriffenes nautisches Jahrbuch fiel. Als er es hastig durchblätterte, fiel plötzlich ein weißes Pappkartonstückchen heraus. Laird betrachtete einen Moment stirnrunzelnd die saubere Handschrift auf dem Kartonstückchen und gab dieses dann an Ribeiro weiter.

»Sagt Ihnen das was?« fragte er den Portugiesen.

Ribeiro warf einen Blick auf die Schrift, dann änderte sich seine Miene schlagartig.

»Sim . . . natürlich!« Ribeiro holte einen Bleistift aus der Tasche und begann den Text hastig abzuschreiben. »Ihr da Costa ist ein Mann mit System. Wissen Sie, was das hier ist?«

Laird schüttelte den Kopf.

»Denken Sie nach.« Ribeiro deutete auf den Karton. »Zwei Farbkombinationen . . . branco, verde, branco, dann branco encarnado. Denken Sie nach . . . und zählen Sie die Zahlen dazwischen zusammen.«

»Weiß, grün, weiß . . . dann weiß und rot . . .« Laird kam noch immer nicht darauf.

»Nehmen wir mal an, die Farben sind Leuchtturmsignale und die Zahlen Positionsangaben«, sagte Ribeiro.

»Er muß nur diese beiden Lichter finden und von dort auf die angegebene Position gehen«, murmelte Laird, dem plötzlich ein Licht aufgegangen war.

»Und auf diese Weise hat er den Punkt an der spanischen Küste, an dem die ›Mama Isabel‹ die Waffenladung absetzen soll.« Ribeiro nickte. »Sim . . . wenn ich das unserer Küstenwache übergebe, wissen wir sofort, wo die Übergabe stattfinden soll.«

Inzwischen war es Zeit von Bord zu gehen. Laird steckte das Kartonstückchen in das nautische Jahrbuch zurück, legte alles wieder in die Schublade, und Ribeiro knipste seine Taschenlampe aus. Sie hatten bereits die Tür des Cockpits erreicht, als ein starker Lichtkegel langsam über die Motorjacht wanderte. Sie warfen sich auf den Boden.

Sekunden später war alles wieder dunkel. Der Wachmann der Werft hatte seinen Rundgang offensichtlich fortgesetzt. Sie rannten geduckt an Deck. Das Schlauchboot lag noch immer ruhig auf der der Pier abgewandten Seite der Jacht. Laird und Ribeira sprangen hastig hinein.

»Habt ihr was gefunden?« flüsterte Alder gespannt. Er atmete erleichtert auf, als Laird nickte. »Okay, dann nichts wie weg, bevor der Typ mit der Taschenlampe wieder auftaucht.«

Lautlos paddelten sie in die Richtung, aus der sie gekommen waren, und mit jedem Meter, den sie zurücklegten, wurde Laird wieder ruhiger. Aber dann stieß der Korporal plötzlich einen unterdrückten Warnruf aus.

An der Pier war erneut ein Licht aufgeflammt. Es blitzte einige Male kurz auf, um jeweils wieder zu verlöschen. Im nächsten Augenblick begann Alder erschrocken zu fluchen, als die Wasseroberfläche vor ihnen plötzlich mit lautem Sprudeln und Gurgeln aufwallte.

»Das U-Boot taucht auf!« rief Alder. »Los, rudert auf Teufel komm raus!«

Vier Paddel tauchten kräftig ins Wasser, und das Schlauchboot schoß nach vorn. Sie arbeiteten verbissen. Laird spürte, wie das Boot auf seiner Seite durch eine Welle hochgehoben wurde, und sah aus den Augenwinkeln hinter ihnen den langen, schmalen Rumpf des U-Bootes langsam aus dem Wasser emporsteigen. Er hörte das Stampfen von Pumpen, und im nächsten Moment wurden die Luken geöffnet, und Stimmen ertönten. Laird hielt den Atem an und wartete auf den ersten Schrei, der bedeutete, daß man sie entdeckt hatte.

Doch es geschah nichts. Statt dessen sprangen die Dieselmotoren des U-Bootes an, und ihr Lärm übertönte alle Geräusche der Nacht.

In sicherer Entfernung gab Alder schließlich ein Zeichen, mit dem Paddeln aufzuhören. Keuchend lehnten sie sich zurück, um ein wenig zu verschnaufen. Laird sah sich erschöpft nach dem U-Boot um. Die Plattform um den Turm war beleuchtet, und auch an der Pier waren jetzt einige Lichter aufgeflammt. Ein kleineres Motorboot hatte gerade vom Kai abgelegt und fuhr zum U-Boot hinaus.

Noch immer schwer atmend griff Alder erneut in seine Ledertasche, zog eine Infrarotkamera heraus und begann ein Foto nach dem anderen von dem U-Boot zu schießen.

»Okay, das wär's«, murmelte Alder schließlich und ließ die Kamera wieder verschwinden. Dann griff er nach seinem Paddel. »Machen wir, daß wir nach Hause kommen.«

Fünfzehn Minuten später hatten sie den flachen Küstenstreifen, wo der Volvo-Kombi und der Lastwagen warteten, wieder erreicht. Die beiden Marinesoldaten halfen ihnen, das Schlauchboot an Land zu tragen.

Ribeiro war bereits zum Lastwagen hinaufgegangen, plötzlich kam er zurück.

»Senhor Laird.« Ribeiro blieb neben Laird stehen. »Kommen Sie«, forderte er ihn mit seltsam belegter Stimme auf, »Sergeant Ramos ist hier. Er hat schlechte Nachrichten.«

»Kati?« Laird fröstelte es unwillkürlich.

Ribeiro nickte. »Da Costa hat sie.«

Sergeant Ramos erwartete sie mit betrübter Miene hinter dem Lastwagen.

»Was ist passiert?« fragte Laird erregt.

»Ich konnte leider nichts tun, Senhor Laird.« Ramos trat unruhig von einem Bein auf das andere. »Senhora da Costa hat es mir erzählt.« Ramos schluckte. »Kurz nachdem Kati von ihrem Ausflug nach Tavira zurückgekommen war, tauchte Jose im Hotel auf. Er trug ein großes Paket in sein Zimmer und ging dann in die Bar hinunter. Kati scheint in sein Zimmer geschlichen zu sein. Jose ist unverhofft zurückgekommen und hat sie dabei ertappt, wie sie gerade sein Paket durchsucht hat.«

»Weiter!« forderte Laird Ramos scharf auf.

Ramos zuckte die Achseln. »Senhora da Costa hat von der Treppe aus ihre Stimmen gehört und ist in Joses Zimmer gelaufen. Jose hat Kati mit einer Pistole in Schach gehalten. Das Mädchen lag auf dem Boden, als . . .«

»Schon gut«, unterbracht Alder ihn. »Bleiben wir bei den Tatsachen.«

Ramos seufzte. »Senhora da Costa hat versucht, Jose die Waffe zu entreißen, aber das ist ihr natürlich nicht gelungen. Jose hat ihr gedroht, Kati umzubringen, falls sie nicht tue, was er von ihr verlangte.« Ramos breitete die Arme aus. »Jose hat seiner Mutter dann erklärt, Kati habe etwas herausgefunden, was ihm gefährlich werden könne. Sie müsse ein paar Tage verschwinden, bis die Gefahr vorbei sei, und solange solle auch Senhora da Costa den Mund halten. Hinterher werde er Kati wieder freilassen.«

»Und das hat sie ihm geglaubt?« rief Laird kopfschüttelnd.

»Er ist ihr Sohn, Senhor«, sagte Ramos seufzend. »Außerdem hat Senhora da Costa ihre Nichte sehr gern. Deshalb erklärte sie sich mit allem einverstanden. Falls jemand nach Kati fragen würde, sollte sie sagen, daß Kati nach Lissabon zurückgekehrt sei.«

»Sonst noch was, Sergeant?« wollte Ribeira wissen.

»Jose hat seiner Mutter gegenüber erklärt, er sei in Schmuggelgeschäfte verwickelt . . . und daß er, falls was schiefginge, eine hohe Gefängnisstrafe verbüßen müßte. Schließlich hat er sie aufgefordert, in ihr Büro hinunterzugehen und dort zu bleiben. Das hat sie dann auch getan. Kurz darauf hat Jose das Mädchen heruntergebracht und mit ihm das Hotel verlassen.« Ramos zögerte. »Sie sind auch nicht wieder zurückgekommen.«

Ribeiro murmelte Unverständliches. Alder sah Laird abwartend an.

»Wann genau ist das passiert?« fragte Laird.

»Schon vor drei Stunden«, erwiderte Ramos bedauernd. »Senhora da Costa hat eine Ewigkeit gewartet, bevor sie zu mir gekommen ist.« Ramos stöhnte. »Und das auch nur, weil sie glaubt, mir vertrauen zu können. Sie hat mir eingestanden, daß sie sich bereits seit Monaten wegen Jose Sorgen macht. Isabel . . . ich meine, Senhora da Costa hat geahnt, daß irgendwas nicht stimmt.«

»Wieviel haben Sie ihr erzählt?« erkundigte sich Alder knapp.

»Nichts.« Ramos schüttelte nachdrücklich den Kopf. »Ich habe Senhora da Costa ins Hotel zurückgebracht und ihr geraten, das zu tun, was Jose von ihr verlangt hatte. Ich versprach ihr, daß ich mich um alles Weitere kümmern werde.«

»Und dieses große Paket? Was ist damit geschehen?« wollte Laird wissen.

Ramos starrte unglücklich auf seine Schuhspitzen.

»Es ist verschwunden.« Er fuhr sich mit der Zunge über die trockenen Lippen. »Nach allem, was Senhora da Costa gesehen hat, soll es angeblich so etwas wie eine Rolle dickes Nylonseil enthalten haben.«

»Welche Farbe?« fragte Laird schnell.

Ramos hob den Kopf. »Grau, Senhor.«

Laird stieß einen harten Fluch aus. Alder und Ribeiro sahen sich verwundert an.

»Cordtex«, erklärte Laird mit Bitterkeit in der Stimme. »Er hat sich ein Paket Cordtex von einem von Novaks Schleppern besorgt. Das ist ein mit Sprengstoff gefüllter Schlauch. Die Spule zu zweihundert Metern. Da Costa hat den Sprengstoff und Kati.«

»Oh, Gott!« stöhnte Alder. »Das hat uns gerade noch gefehlt!«

Für Andrew Laird waren die folgenden Stunden ein Alptraum.

Ramos und Captain Ribeiro fuhren mit dem Streifenwagen des Sergeant nach Porto Esco, die Marinesoldaten verschwanden auch mit ihrem Lastwagen, und Alder bestand darauf, daß Laird ihn im Volvo zum Polizeirevier nach Tavira begleitete. Dort war Laird dazu verurteilt, tatenlos in Alders Büro zu sitzen und zuzusehen, wie Alder ein Telefongespräch nach dem anderen führte und die verschiedensten Leute empfing. Zwischendurch gab es Sandwiches und schwarzen Kaffee. Laird konnte nur an Kati Gunn denken und verfluchte seine Unfähigkeit, etwas zu tun.

Dann fuhren sie endlich nach Porto Esco zurück. Als sie in der Lichtung eines kleinen Pinienwäldchens an einer Seitenstraße fünf Kilometer nördlich der kleinen Fischerstadt anhielten, ging gerade die Sonne auf.

Die Mariensoldaten waren mit ihrem Lastwagen bereits dort. Alder sprach kurz mit ihnen, kam zurück und legte sich auf die Vordersitze des Volvo, um zu schlafen. Laird folgte todmüde seinem Beispiel hinten.

Als er wieder aufwachte, stand die Sonne bereits hoch am Himmel. Ein unrasierter Alder rüttelte ihn sanft an der Schulter.

»Ribeiro und Ihr Sergeant sind zurück«, verkündete Alder. »Sie warten.«

»Was ist mit Kati?« fragte Laird hastig und setzte sich auf.

»Tut mir leid.« Alder schüttelte den Kopf.

Laird kletterte aus dem Volvo und sah auf die Uhr. Es war kurz nach zehn. Er folgte Alder zu Ramos' Streifenwagen, der neben dem Lastwagen parkte. Plötzlich merkte Laird erstaunt, daß, während er geschlafen hatte, noch ein zweiter Lastwagen mit ungefähr zwölf Männern in Zivil angekommen war.

»Filipe Ribeiro hat Verstärkung geholt«, erklärte Alder. »Sie gehören zu einer Elitetruppe der Marine.«

Sergeant Ramos und Ribeiro begrüßten Laird müde. Sie waren zwar frisch rasiert, hatten jedoch dunkle Schatten unter den Augen.

»Wir haben alles versucht, Senhor Laird«, sagte dann Ribeiro seufzend. »Aber niemand hat das Mädchen gesehen. Sie ist wie vom Erdboden verschwunden. Wir wissen lediglich, daß sie auf keinen Fall in die Companhia Tecnico oder Bronners Haus gebracht worden ist. Ich hatte zwei meiner Leute dort postiert. Sie haben nichts bemerkt.«

»Aber irgendwo muß sie doch sein«, entgegnete Laird.

Ribeiro dachte einen Moment nach. »Irgendwo, natürlich . . . aber . . .« Er sprach den Satz nicht zu Ende.

»Aber ob sie noch lebt, ist eine andere Frage«, ergänzte Alder brutal. »Wir sollten uns in dieser Beziehung nichts vormachen, Laird.«

Laird nickte. Er wußte, daß Alder recht hatte. »Gibt's sonst noch was Neues, Sergeant?« wandte er sich schließlich an Ramos.

»Bronner ist seit heute morgen in seinem Büro in der Companhia Tecnico«, antwortete Ramos. »Jose sitzt im Hotel Pico. Er ist gerade noch rechtzeitig zum Frühstück gekommen.« Ramos lachte humorlos. »Ich bin wie gewöhnlich kurz dort gewesen. Wir haben uns übers Wetter unterhalten.«

»Haben Sie mit Senhora da Costa gesprochen?«

Ramos nickte. »Jose hat ihr erneut versichert, daß Kati nichts passiert, solange die Senhora den Mund hält.«

Einen Augenblick herrschte nachdenkliches Schweigen. Laird zündete sich mit zitternden Fingern eine Zigarette an. Alle seine Gedanken kreisten um Kati. Sie hatte ihm geholfen, und das mußte sie nun bitter bezahlen. Er fühlte sich schuldig. Alder und Ribeiro hatten sicher Verständnis dafür, wie wichtig ihm das Mädchen war, doch im Grunde ging es ihnen um etwas ganz anderes.

»Wir sind der Gegenseite noch immer um einige Längen voraus«, sagte Alder schließlich, als hätte er Lairds Gedanken erraten. »Und wenn wir unseren Vorsprung halten wollen, können wir uns da Costa nicht einfach schnappen und ihn in die Mangel nehmen.« Er lächelte Laird aufmunternd zu. »Nur Geduld, Laird. Ich glaube, die Chance, Ihr Mädchen zu befreien, ist um so größer, je vorsichtiger wir vorgehen . . . Ribeiro und ich haben alles genau geplant. Solange Bronner und da Costa fest davon überzeugt sind, daß Sie tot sind, und sie damit glauben, daß sie ihre Geschäft glatt abwickeln können, sind wir im Vorteil.«

Ribeiro nickte zustimmend. »Nur die Tatsache, daß sie den Sprengstoff haben, beunruhigt mich. Senhor Laird, können Sie sich vielleicht denken, was sie damit vorhaben?«

Laird schüttelte den Kopf.

»Hm . . . ich habe da eine schreckliche Vorahnung, Senhor Laird«, murmelte Ribeiro. »Überlegen Sie doch mal. Falls es Novak nicht gelingt, die ›Craig Michael‹ wieder flottzumachen . . . falls etwas schiefgeht, dann sitzt das russische U-Boot hoffnungslos in der Falle.« Als Ribeiro Sergeant Ramos' entsetzte Miene sah, fuhr er fort: »Sim, Sergeant, warum nicht? Ein zweihundert Meter langes Sprengstoffseil mit Zeitzünder um den Rumpf eines U-Bootes mit ahnungsloser Mannschaft kann, wenn das Boot das nächste Mal auf Tauchstation geht, viele Probleme lösen . . .«

»Es gäbe keine Überlebenden, und sämtliche Peinlichkeiten, glauben sie, wären aus der Welt geschafft«, sagte Laird heiser. »Aber sie kämen nicht ungestraft davon.«

»Porquê . . . warum nicht?« Ribeiro verzog keine Miene. »Wenn sie Glück haben, hört man nur eine kleine Unterwasserexplosion, und es dürfte Bronner nicht schwerfallen, dafür eine plausible Erklärung zu finden. Ihren Auftraggebern brauchen sie dann nur mitzuteilen, daß das beschädigte U-Boot eines Tages nicht mehr aufgetaucht ist. Ich könnte mir vorstellen, daß diese Nachricht eher Erleichterung als Trauer auslösen würde.«

Die Marinesoldaten hatten inzwischen Kaffee gekocht und brachten Ramos, Ribeiro, Alder und Laird je eine Tasse. Alder trank einen Schluck, zog dann eine Karte aus der Tasche und breitete sie auf der Kühlerhaube des Streifenwagens aus.

»Eines haben wir inzwischen übrigens rausbekommen«, sagte er zu Laird. »Ribeiros Leute haben die Angaben, die Sie gestern an Bord der ›Mama Isabel‹ gefunden haben, überprüft. Der Ort, wo da Costa heute nacht vermutlich die Waffen an Land bringen wird, ist hier.«

Alder deutete auf einen Punkt am anderen Ende des Golf von Cadiz. Der Punkt war weiter entfernt, als Laird erwartet hatte, und lag wenige Kilometer nördlich von Cadiz. Plötzlich kam Laird wieder ein Gedanke, der ihn schon länger beschäftigt hatte.

»Sind Sie sicher?« fragte er.

»Ganz sicher«, erwiderte Alder bestimmt. »Der Ort ist gut gewählt. Dort gibt es Schlammbänke, Sandbänke und Marschen. Die Küste ist an dieser Stelle kaum besiedelt. Spanische Patrouillenboote schenken sicher der Gegend keine große Beachtung.«

»Trotzdem . . . es ist eine verdammt lange Strecke, für die auch eine schnelle Motorjacht wie die ›Mama Isabel‹ gut fünf Stunden brauchen würde. Soweit reichen ihre Treibstofftanks doch gar nicht.«

»Ja, richtig«, pflichtete Alder bei. »Da Costa braucht also Treibstoffvorrat . . . diese schnellen Jachten benötigen unheimlich viel Benzin.« Er wandte sich an Ramos: »Sergeant, könnten Sie rausfinden, ob die ›Mama Isabel‹ immer größere Treibstoffvorräte mit an Bord nimmt?«

»Ich glaube kaum, daß da Costa das riskiert«, warf Laird ein, bevor Ramos antworten konnte. »Zuviele Leute könnten sich gegebenenfalls daran erinnern.«

Ramos nickte. »In Porto Esco gibt es nur ein einziges Tankdock. Und wir Polizisten überwachen sorgfältig, was dort vor sich geht.«

»Dann hat er vielleicht einen Vorratstank in der Companhia

Tecnico«, sagte Alder.

»Ich habe davon nichts gesehen.« Laird holte tief Luft. »Aber er kann doch vielleicht irgendwo entlang der Küste einen Treibstoffvorrat angelegt haben.« Laird wandte sich an Ramos: »Sergeant, ich habe Ihnen doch erzählt, was auf meinem Ausflug mit Kati zur Bucht nördlich von Porto Esco passiert ist. Sie kannten die Stelle . . . und Kati hat mir gesagt, daß da Costa sie ihr zum ersten Mal gezeigt hat.«

Sergeant Ramos starrte Laird einen Augenblick verwundert an und nickte dann heftig.

»Ich dachte, da Costa sei uns an jenem Nachmittag gefolgt«, fuhr Laird grimmig fort. »Aber ich könnte mich getäuscht haben. Möglicherweise ist er bereits dort gewesen, weil er sein Treibstofflager überprüfen wollte? Wäre die Bucht dafür geeignet?«

»Es gibt dort 'ne Menge Höhlen, Senhor Laird«, erwiderte Ramos. »Sie sind ziemlich eng, führen jedoch tief in den Fels hinein. Außerdem machen die meisten Leute einen großen Bogen darum, weil sie ihnen unheimlich sind.«

»Dann ist es doch möglich, daß da Costa dort ein Treibstofflager eingerichtet hat und . . .« Laird sah die beiden NATO-Offiziere an. ». . . und daß er dort auch Kati gefangen hält.«

»Wir sollten es jedenfalls überprüfen«, stimmte Alder ihm nachdenklich zu. Er faltete seine Karte zusammen und steckte sie ein. »Da Costa wollte Sie doch ursprünglich auch auf dieser nächtlichen Liefertour beseitigen. Vielleicht hat er jetzt dasselbe mit dem Mädchen vor. Filipes Leute sollen sich darum kümmern.«

»Ich möchte unbedingt dabei sein«, erklärte Laird.

»Nein.« Alder schüttelte energisch den Kopf und deutete auf die wartenden Marinesoldaten. »Diese Jungs sind Profis und sehen sich die Bucht erst mal an. Falls das Mädchen dort ist, warten wir bis zum Einbruch der Dunkelheit, bevor wir was unternehmen. Wenn Sie mit Ihrer Vermutung recht haben, dann ist sie solange auch noch in Sicherheit.«

Laird wußte, daß jede Diskussion zwecklos war, und fügte

sich widerwillig Alders Befehl.

»Gut«, murmelte Alder, als Laird nickte. »Sergeant Ramos, Sie fahren jetzt lieber nach Porto Esco zurück. Laird, Sie können mir helfen.«

Auch später war sich Laird nie im klaren darüber, ob Captain Alder ihn tatsächlich gebraucht hatte, oder ob er ihn nur hatte beschäftigen wollen.

Jedenfalls fuhr Laird mit Alder im Volvo-Kombi ebenfalls in Richtung Porto Esco zurück. Und eine halbe Stunde später lagen sie nebeneinander am Klippenrand auf der Halbinsel von Cabo Esco und beobachteten die rege Geschäftigkeit um die ›Craig Michael‹. Novak und seine Leute arbeiteten fieberhaft; die drei Hochseeschlepper lagen bereits nahe bei dem Tanker in neuer Aufstellung vor Anker.

»Welchen Eindruck haben Sie?« fragte Alder und starrte angestrengt durch sein Fernglas.

»Es läuft alles fahrplanmäßig«, erwiderte Laird und zündete sich eine Zigarette an. »Aber Novak braucht sicher noch einen Tag für seine Vorbereitungen. Amos hatte recht.«

»Wenn also die Flut kommt«, murmelte Alder und legte das Fernglas beiseite. »Glauben Sie, er schafft es?«

Laird nickte.

»Okay, wir haben noch viel zu tun.« Alder stand seufzend auf. »Gehen wir.«

Sie liefen zu der Stelle zurück, wo sie den Volvo geparkt hatten, und stiegen ein.

Alder ließ den Motor an und wandte sich dann an Laird: »Ich möchte nochmal bei der Companhia Tecnico vorbeifahren. Sie ducken sich dann lieber. Ich möchte keine Zwischenfälle erleben.«

Nach einer weiteren Stunde waren sie wieder auf dem Rückweg zum Pinienwäldchen. In sicherer Entfernung von da Costas Werft hatte Alder zuvor das Gelände mit dem Fernglas beobachtet und sich die genaue Lage der einzelnen Gebäude von Laird erklären lassen. Als sie zu der Lichtung am Pinienwäldchen kamen, waren Ribeiro und seine Leute bereits da. Ribeiro kam sofort auf sie zu. Er strahlte.

»Sie hatten recht, Senhor Laird«, berichtete er und klopfte Laird auf die Schulter. »Wir haben sie gefunden. Zwei Männer bewachen eine Höhle, die ungefähr vierhundert Meter weit von der Stelle entfernt ist, an der sie vor einigen Tagen gebadet haben.« Er wandte sich an Alder: »Außerdem ist erst vor kurzem ein Lastwagen dort unten gewesen. Wir haben die Reifenspuren gefunden.«

»Was ist mit Kati?« fragte Laird ungeduldig.

»Moment, darauf wollte ich gerade kommen.« Ribeiro sah Laird lächelnd an. »Neben den Reifenspuren haben wir auch Fußspuren entdeckt, die zweifellos von einer Frau stammen. Im übrigen bleibt einer der Wächter immer in der Höhle. Sie muß also dort sein.«

Lairds Erleichterung war so groß, daß er kein Wort herausbrachte.

»Und niemand hat euch gesehen?« erkundigte sich Alder besorgt.

»Nein, natürlich nicht«, erklärte Ribeiro bestimmt. »Ich habe einen meiner Leute draußen postiert, um auf dem laufenden zu bleiben. Allerdings dürfte ein Überraschungsangriff auf die Höhle beinahe unmöglich sein. Schließlich haben sie das Mädchen als Geisel in der Hand.«

»Wir warten«, erklärte Alder gelassen.

»Wie lange denn noch?« wollte Laird ärgerlich wissen.

»Bis die ›Mama Isabel‹ heute abend dort auftaucht und die Leute anderweitig beschäftigt sind«, erwiderte Alder. »Filipe und seine Spezialeinheit werden das Kind schon schaukeln. Möchten Sie dabei sein?« Alder musterte Laird grinsend.

»Versuchen Sie erst mal, mich davon abzuhalten«, entgegnete Laird ebenfalls grinsend.

*

Das Warten war das schlimmste. Sie versuchten die Zeit mit Rauchen, Kaffeetrinken und Kartenspielen totzuschlagen, doch Laird hielt es bei keiner dieser Beschäftigungen lange aus. Er hatte sich gerade staunend die Funkeinrichtung des Lastwagens von Ribeiros Spezialeinheit angesehen, als Sergeant Ramos mit seinem Streifenwagen aus Porto Esco eintraf.

Ramos brachte einige Flaschen Brandy und die Nachricht mit, daß Jose da Costa in seinem Hotelzimmer war, um sich auszuruhen. Charles Bronner war von keinem mehr gesehen worden. Er schien sich in seinem Büro in der Companhia Tecnico eingeschlossen zu haben.

Als Ramos wieder abfuhr, begleiteten ihn zwei Marinesoldaten, von denen jeder mit einem kleinen Funkgerät ausgerüstet war. Danach begann erneut das Warten.

Dann wurde es plötzlich dunkel, und die Atmosphäre in der kleinen Lichtung änderte sich schlagartig. Die Soldaten beendeten ihr Kartenspiel, zogen dunkle Overalls an und überprüften ihre Waffen.

Alder und Ribeiro bedienten das Funkgerät und erteilten letzte Befehle an die beiden Soldaten, die mit Ramos nach Porto Esco gefahren waren. Laird hörte zu und stellte fest, daß sich einer aus dem Polizeirevier des Fischerstädtchens meldete, während der andere auf der ›Craig Michael‹ zu sein schien.

»Das ist Ramos' Idee gewesen«, erklärte Alder auf Lairds Fragen. »Der Sergeant hat das mit Amos ausgehandelt. Auf diese Weise wird auch der Cabo-Esco-Kanal von uns überwacht, und ich schulde dem Sergeant jetzt eine Flasche Whisky.«

»Haben Sie eigentlich eine Waffe, Senhor Laird?« erkundigte sich Ribeiro unvermittelt und grinste, als Laird ihm Amos' alten Smith und Wesson zeigte. »Bom . . . er wird wenigstens viel Krach machen.«

Ribeiro ließ eine Flasche Brandy kreisen. Laird trank schweigend und horchte auf die Geräusche der hereinbrechenden Nacht. Schließlich, genau um neun Uhr, begann das Funkgerät zu ticken. Ribeiro riß dem Funker die Nachricht ungeduldig aus der Hand.

»Sie ist von Ramos aus der Polizeistation«, berichtete er kurz. »Da Costa befindet sich auf dem Weg zur Companhia Tecnico.« Ribeiro steckte den Zettel in die Tasche. »Es geht los.«

Fünfzehn Minuten später traf Sergeant Ramos ein. Er trug aus unerfindlichen Gründen seine beste Uniform und war mit einer Maschinenpistole bewaffnet.

Auf ein Zeichen von Ribeiro stiegen sechs Männer seiner Spezialeinheit in einen der Lastwagen. Laird und Ramos folgten ihnen.

»Was ist mit ihm?« erkundigte sich Laird und deutete auf Alder, der ruhig neben dem Volvo stehen geblieben war.

Ribeiro zwinkerte ihm zu. »Er ist bereits anderweitig beschäftigt, Senhor Laird.«

Im nächsten Augenblick wurde die Plane zugemacht. Sie hörten, wie Ribeiro ins Führerhaus stieg, und kurz darauf setzte sich der Lastwagen in Bewegung.

Die Fahrt, auf der die Männer auf der Ladefläche des Lastwagens ziemlich heftig durchgeschüttelt wurden, dauerte eine gute halbe Stunde. Dann hielt der Wagen abrupt an, und die Plane wurde geöffnet.

Laird stieg mit den anderen aus und sah sich neugierig um. Es war stockdunkel, Laird konnte nicht viel erkennen, doch ganz in der Nähe rauschte das Meer. Ribeiro stand nur wenige Meter von Laird entfernt und sprach offensichtlich mit dem Mann, den er am Nachmittag als Beobachter zurückgelassen hatte. Als Ribeiros Blick auf Laird fiel, schickte er den Soldaten weg und kam auf Laird zu.

»Gibt's was Neues?« fragte ihn Laird.

»Não.« Ribeiro schüttelte den Kopf. »Sie sind noch bei der Höhle.«

»Gut.« Laird war erleichtert. »Aber wo, zum Teufel, sind wir hier eigentlich?«

»Ungefähr einen halben Kilometer von der Bucht entfernt«,

erwiderte Ribeiro. »Der Motor des Lastwagens würde uns verraten. Wir gehen die restliche Strecke zu Fuß.«

Kurz darauf machten sie sich auf den Weg. Einer der Marinesoldaten blieb zur Bewachung des Lastwagens zurück, die anderen folgten Ribeiro, Ramos und Laird auf einem schmalen Pfad bis zu einer Bergkuppe. Dort blieb Ribeiro stehen, sammelte seine Männer um sich und gab leise Anweisungen auf Portugiesisch. Danach verschwanden die Marinesoldaten einzeln und in verschiedenen Richtungen in der Dunkelheit, so daß nur noch Laird, Ramos und ein Korporal übrigblieben. Der Korporal trug ein Funkgerät und einen größeren Kasten.

»Okay, von jetzt an müssen wir leise sein«, erklärte Ribeiro. »Wir sind schon ganz in ihrer Nähe. Falls sie uns also hören . . .« Ribeiro überließ es jedem selbst, sich das auszumalen.

Anschließend führte Ribeiro die Männer einen Abhang zum Meer hinunter, bis der Strand nur noch einen Steinwurf von ihnen entfernt war. Geduckt schlichen sie parallel zur Küste weiter und machten knapp über einer Halde mit riesigen Felsblöcken halt. Die Halde erstreckte sich bis zum Strand hinunter.

»Dort drüben«, flüsterte Ribeiro. »Ziemlich weit rechts.«

Es dauerte eine Weile, bis sich Lairds Augen an die Dunkelheit gewöhnt hatten, aber dann erkannte er ein finsteres Loch, das der Eingang der Höhle war. Der Mond war halb von einer Wolke verdeckt, die Sichtverhältnisse hätten also besser sein können. Während Laird seine Blicke prüfend über die Umgebung schweifen ließ, wurde ihm klar, wie schwierig ihre Aufgabe war. Die Höhle lag genau unterhalb einer glatten, beinahe senkrechten Felswand, und davor erstreckte sich bis zum Wasser ein breiter Sandstreifen, der zwar ein idealer Landeplatz für Schiffe war, jedoch keinerlei Deckungsmöglichkeiten bot.

»Sie werden von selbst rauskommen, Senhor Laird«, murmelte Ribeiro, als habe er Lairds Gedanken erraten. »Nur Geduld.«

Zwanzig Minuten später war im Höhleneingang kurz ein Lichtstreifen zu sehen, so, als habe jemand einen Vorhang zurückgeschoben. Ein Mann trat heraus, verrichtete seine kleine Notdurft, zündete eine Zigarette an und ging wieder hinein.

Er war kaum im Höhleneingang verschwunden, als das Funkgerät neben Ribeiro zu summen begann. Ribeiro nahm den Hörer ab, lauschte einen Augenblick und legte wieder auf.

»Die ›Mama Isabel‹ ist eben am Tanker vorbei aus dem Kanal ausgelaufen und hat Kurs auf unsere kleine Bucht genommen«, berichtete Ribeiro zufrieden.

»Ich schätze, da Costa will einen vorher abgestimmten Zeitplan einhalten«, flüsterte Laird und sah auf seine Uhr. »In diesem Fall werden die Burschen alles für seinen Empfang vorbereiten.« Es war kurz vor halb elf.

»Sim . . . dann werden wir ebenfalls ein Empfangskomitee organisieren«, murmelte Ramos und griff nach seiner Maschinenpistole.

Ribeiro nickte und sprach leise ein paar Worte mit dem Korporal, der kurz darauf lautlos davonschlich.

»Er sagt den anderen Bescheid«, erklärte Ribeiro. »Okay, Sergeant, wir gehen jetzt runter. Aber seien Sie vorsichtig.«

Lautlos kletterten sie den Geröllhang hinunter. Beim leisesten Knirschen erstarrte Laird, doch schließlich hatten sie es geschafft. Laird spürte weichen Sand unter seinen Füßen, als Ribeiro unterdrückt fluchte und ihnen mit lebhaften Gesten bedeutete, sich zu ducken.

Wieder tauchte im Höhleneingang ein Lichtschein auf, und ein Mann kam heraus, ging ein Stück den Strand entlang und blieb so nahe an den Felsblöcken stehen, daß sie sein Pfeifen hören konnten. Er starrte angestrengt aufs Meer hinaus.

Plötzlich packte Ribeiro Laird am Arm und nickte. Im nächsten Augenblick hörte auch Laird das leise Motorengeräusch und sah einen schwarzen Punkt auf den hellen Wellenkämmen vor der Bucht.

Der Mann am Strand hatte das Schiff ebenfalls entdeckt und gab mit einer starken Taschenlampe Zeichen. An Bord der ›Mama Isabel‹ blinkte ebenfalls eine Signallampe mehrmals auf.

Noch immer vergnügt vor sich hinpfeifend, drehte der Mann sich um und ging zur Höhle zurück.

»Wann?« erkundigte sich Ramos heiser. »Sobald sie rauskommen?«

»Wenn ich den Befehl dazu gebe«, herrschte Ribeiro den Sergeant heiser an. »Keine Sekunde früher! Sie wollen das Mädchen, aber ich will auch das Boot.«

Mit schmalen Lippen, den alten Revolver fest in der Hand, nickte Laird, als Ribeiros wütender Blick auch auf ihn fiel. Dann kauerten sie sich wieder hinter den Felsen nieder, als zwei Gestalten aus der Höhle kamen und einige Meter vom Wasser entfernt stehen blieben.

Die ›Mama Isabel‹ war inzwischen so nah, daß sie sie im schwachen Mondlicht deutlich und in allen Einzelheiten erkennen konnten. Die Motoren der Jacht liefen nur mit halber Kraft, als sie in die Bucht einlief. Am Bug stand ein Mann, die Maschinenpistole schußbereit im Anschlag. Als vom Strand her jedoch erneut ein Lichtzeichen gegeben wurde, hängte er die Waffe über die Schulter und winkte zurück.

Mit angehaltenem Atem maß Laird die Entfernung. In wenigen Sekunden würde die Jacht auf Sand laufen. Sekunden und dann . . .

Plötzlich ging alles schief. Irgendwo auf der anderen Seite der Höhle ertönte ein heiserer Schrei, und ein Fels fiel krachend in die Tiefe. Die beiden Männer am Strand wirbelten, Maschinenpistolen im Anschlag, herum. Fluchend sprang Ribeiro auf und gab ein schrilles Pfeifzeichen.

Einer der Männer gab sofort einen einzelnen Schuß auf ihn ab, doch die Kugel prallte gegen einen Felsblock. Dann fielen weitere Schüsse, als Ribeiros Marine-Soldaten aus ihren Verstecken stürzten. Der Mann, der zuerst geschossen hatte, fiel getroffen zu Boden, sein Begleiter ging mit einem Aufschrei in die Knie.

Ohne auf die Maschinenpistolengarben und die Schreie zu achten, rannte Laird verzweifelt über den Sandstrand zum Höhleneingang, während hinter ihm die Motoren der ›Mama Isabel‹

ohrenbetäubend laut aufheulten. Ihre Schraube wirbelte weißen Schaum auf, als die Jacht mit voller Kraft rückwärts wieder aus dem Sand herauszukommen suchte. Der Mann am Bug schoß sein ganzes Magazin leer.

Laird hatte im nächsten Moment die Höhle erreicht, riß einen Vorhang auseinander, taumelte hinein und sah im ersten Augenblick nichts als hohe Stapel von Benzinkanistern und Schiffslaternen.

Dann fiel sein Blick auf Kati, die gefesselt auf einer Matratze kniete. Doch Kati war nicht allein.

Ribeiro und seine Leute hatten sich in einem entscheidenden Punkt geirrt. Der dritte Mann in der Höhle war Charles Bronner, den alle im Büro der Companhia Tecnico wähnten.

Bronner stand neben Kati, hatte ihr braunes Haar gepackt, ihr den Kopf zurückgerissen und hielt seine schwere Luger Pistole direkt auf Laird gerichtet.

Der Schuß hallte ohrenbetäubend von den Höhlenwänden wider, und spitze Steinsplitter trafen Laird im Gesicht, als die Kugel neben ihm in den Fels schlug. Laird schoß zurück, verfehlte Bronner um Haaresbreite und zögerte, als dieser versuchte, Kati hochzureißen und als Kugelfang zu benutzen.

Nun erst erkannte Bronner ihn, erstarrte und sah ihn aus weit aufgerissenen Augen ungläubig an. Laird schoß zum zweiten Mal. Bronner schwankte getroffen, ließ Kati los und feuerte ebenfalls wieder. Laird fühlte einen brennenden Schmerz, als die Neunmillimeterkugel ihn mit einer solchen Wucht in der Seite traf, daß er eine halbe Drehung machte und dann gegen die Benzinkanister fiel.

Er hörte Katis Aufschrei, sah wie durch einen Nebel, daß Bronner sie erneut zu packen versuchte, und drückte in blinder Verzweiflung noch einmal ab. Der erste Schuß traf Bronner an der Schulter, doch beim zweiten gab der alte Revolver nur ein hohles Klicken von sich. Laird sah, wie sich Bronners Gesicht zu einem teuflischen Grinsen verzerrte, als er langsam die Luger auf ihn richtete.

In diesem Moment prasselte von der Höhlenöffnung her eine Maschinenpistolengarbe. Bronner wirbelte getroffen herum und sackte leblos zu Boden. Sergeant Ramos stürmte herein und durchschnitt Katis Fesseln mit einem Messer.

Laird lehnte sich gegen die Höhlenwand und preßte die Hand auf die blutende Schußwunde in seiner rechten Seite. Leichenblaß fiel ihm Kati in die Arme. Dann, als er vor Schmerz leise stöhnte, trat sie einen Schritt zurück.

»Du bist verletzt«, sagte sie und verstummte, als draußen eine Detonation die Stille der Nacht zerriß.

Sie drehten sich um und starrten durch den geöffneten Vorhang ins Freie.

Die wilde Schießerei war vorbei. Die Motoren der ›Mama Isabel‹ liefen noch immer, als sich die Jacht langsam vom Strand entfernte, doch von ihrem Heck schossen hohe Stichflammen in den Nachthimmel hinauf.

Fluchend schleppte sich Laird aus der Höhle. Er hatte kaum den Strand erreicht, als die zweite Detonation erfolgte. Im nächsten Moment war die ›Mama Isabel‹ verschwunden. Ribeiro hatte Raketenwerfer eingesetzt und die Jacht versenkt.

»Ist das Mädchen in Sicherheit?« erkundigte sich Ribeiro plötzlich neben Laird. Sein Gesicht war eine weiße Maske.

»Ja.« Laird schwankte und griff nach Ribeiros Arm. »Was zum Teufel ist eigentlich passiert?«

»Einer meiner Männer ist unvorsichtig gewesen und ausgerutscht«, antwortete Ribeiro.

»Großartig!« schimpfte Laird wütend.

»Er ist tot. Der Schütze an Bord der ›Mama Isabel‹ hat ihn getroffen.«

Eine Weile starrten sich die beiden Männer nur schweigend an.

»Sie sind froh, daß alles so gekommen ist, was?« nahm Laird schließlich das Gespräch wieder auf. »Für Sie ist das die saubere Lösung, stimmt's? Sie sind da Costa und sein Schiff losgeworden, und drinnen in der Höhle liegt Bronner. Er ist ebenfalls tot.«

Ribeiro blickte Laird ausdruckslos an.

»Ich bin über gar nichts froh«, erwiderte er aber dann. »Fragen Sie Sergeant Ramos, was er für die beste Lösung hält. Fragen Sie ihn, ob es ihm nicht lieber ist, seiner Senhora da Costa eine Lüge erzählen zu können. Ihr Sohn ist mit seinem Schiff gesunken. Ist das nicht eine bessere Erklärung für eine Mutter? Um des Mädchens willen wollten Sie eine saubere Lösung. Das hier war vielleicht keine saubere Lösung, aber wenigstens haben wir jetzt nicht mehr so viele Probleme.«

»Und was ist mit Alder?«

»Im Augenblick dürfte er gerade das Gelände der Companhia Tecnico gestürmt haben.«

Laird schluckte, versuchte zu antworten, doch plötzlich drehte sich alles um ihn, und das letzte, was er spürte, war, daß er mit dem Gesicht im Sand landete.

Als er viel später wieder zu Bewußtsein kam, lag er im Krankenhaus von Porto Esco. Kati war die erste, die ihn besuchte, und zu diesem Zeitpunkt hatte er schon fast keine Schmerzen mehr.

Später kamen dann Sergeant Ramos und eine bleiche, in Schwarz gekleidete Isabel da Costa, die den Arm des Sergeant festhielt, als wollte sie ihn nicht mehr loslassen. Danach überbrachte ihm Mary Amos die Grüße von Kapitän Amos und seiner Crew, und schließlich tauchte auch noch Harry Novak auf und stellte eine Flasche Whisky auf den Nachttisch.

»Burschen wie Sie sind einfach nicht umzubringen«, brummte Novak. »Meine Jungs hatten schon für 'nen Kranz gesammelt.«

»Novak!« rief ihn Laird zurück, als er gehen wollte. »Viel Glück mit der ›Craig Michael‹!«

Als Kati wiederkam, war es bereits Abend. Laird fühlte sich schon wesentlich besser und stellte ihr viele Fragen, doch sie antwortete nur ausweichend und zögernd.

Jedenfalls erfuhr er, daß keiner von da Costas Männern an Bord der Jacht und am Strand überlebt hatte. Alders Einheit hatte das Werftgelände gestürmt und vier von da Costas Leuten dort festgenommen.

»Was ist mit dem U-Boot?« wollte Laird wissen.

Kati schüttelte den Kopf und küßte ihn zärtlich auf den Mund.

»Später«, wehrte sie energisch ab. »Du hast nicht viel versäumt.« Sie stand auf. »Du mußt jetzt schlafen, Andrew. Und wenn du brav bist, darfst du in ein paar Tagen wieder raus. Wir werden dir ein Krankenlager im Hotel herrichten.«

Bevor Laird noch etwas sagen konnte, war sie gegangen.

Am folgenden Morgen wurde er noch im Dunkeln von einer Krankenschwester geweckt. Als er die Augen aufschlug, stand der Arzt an seinem Bett und musterte ihn stirnrunzelnd.

»Senhor Laird, eigentlich sollte ich Ihnen das noch nicht erlauben, aber Sie dürfen aufstehen und sich anziehen«, erklärte der Arzt. »Ich muß Sie nur bitten, sich nicht zu überanstrengen.«

Die Schwester brachte seine Reisetasche und packte frische Sachen aus. Als er seine Armbanduhr anlegte, starrte er erstaunt auf das Zifferblatt. Es war vier Uhr morgens.

Plötzlich ging ihm ein Licht auf. Die Krankenschwester brachte ihn dann aus dem Zimmer, ging mit ihm einen Flur entlang zu einer Tür. Draußen im Dunkeln blieb er abrupt stehen, als er den Krankenwagen sah, der dort mit offenen Türen auf ihn wartete.

»Nur keine Müdigkeit vortäuschen«, sagte Captain Alder und trat auf ihn zu. »Wir haben's eilig.« Er schüttelte den Kopf. »Fragen werden erst später beantwortet.«

Gehorsam stieg Laird in den Krankenwagen. Kati saß bereits in Jeans und Lederjacke drin, und Alder nahm neben ihnen Platz.

»Darf ich vielleicht doch mal erfahren, wohin die Reise geht?« erkundigte sich Laird mißtrauisch.

Alder grinste.

»Wo, zum Teufel, ist überhaupt Ribeiro?« fragte Laird.

»Der sitzt am Steuer«, erwiderte Alder.

Kati schmiegte sich während der Fahrt eng an ihn. Der Krankenwagen holperte über unebene Straßen und hielt dann plötzlich an.

Sie stiegen aus. Laird sah sich im ersten Morgengrauen um. Sie standen am Klippenrand der Halbinsel von Cabo Esco.

»Vor einer Stunde hatte die Flut ihren Höchststand erreicht«, bemerkte Alder wie beiläufig, als Ribeiro zu ihnen trat.

Laird starrte auf den Kanal hinunter und verstand. Die ›Craig Michael‹ war aus der Kanaleinfahrt verschwunden und lag hell erleuchtet weiter draußen in der äußeren Bucht vor Anker. Ganz in ihrer Nähe schaukelten die drei Hochseeschlepper auf der leichten Dünung.

»Sie ist gleich beim ersten Versuch losgekommen«, berichtete Alder. »Dieser Novak versteht sein Geschäft.« Alder lächelte. »Aber gleich werden wir noch was ganz anderes erleben.«

Kaum hatte Alder das gesagt, hörten sie ein Motorengeräusch schnell näher kommen. Laird starrte gespannt zur Kanaleinfahrt. Im nächsten Augenblick tauchten dort zwei Positionslichter auf. Laird vergaß vor Schreck zu atmen.

Hinter einer Barkasse der Portugiesischen Marine fuhr das beschädigte russische U-Boot der Ula-Klasse aus dem Kanal hinaus in die Bucht zum offenen Meer, über dem gerade als roter Ball die Sonne aufging.

»Weiter draußen liegt eine britische Fregatte«, erklärte Alder ruhig. »Sie wird den Begleitschutz übernehmen, bis das U-Boot sein Geschwader wiedergefunden hat.« Als hätte er die Frage geahnt, die Laird auf der Zunge lag, fuhr er fort: »Wir sind an der Pier gewesen, als das U-Boot vergangene Nacht aufgetaucht ist. Ich habe mit dem Kommandanten gesprochen. Nachdem die höchsten Stellen auf beiden Seiten kurz miteinander verhandelt hatten, sind wir zu einer Übereinkunft gelangt.«

»Zu welcher Übereinkunft?« wollte Laird wissen. Es fröstelte ihn im kühlen Morgenwind, und Kati legte den Arm um ihn.

»Wir haben verabredet, dem U-Boot freien Abzug zu gewähren. Dafür stellen die Russen die illegalen Waffenlieferungen nach Spanien ein.« Alder grinste. »Offiziell ist das alles natürlich nie passiert. Aber falls die Russen zu irgendwelchen faulen Tricks greifen, haben wir genug Filmmaterial, um einen Skandal zu inszenieren, der sich gewaschen hat.«

Sie beobachteten eine Weile schweigend, wie das U-Boot und sein Geleitschutz immer kleiner wurden.

»Ich habe übrigens eine Nachricht von einem gewissen Osgood Morris für Sie«, wandte sich Alder schließlich an Laird. »Er behauptet, Sie arbeiten manchmal für ihn. Er wollte nur wissen, wann Sie wieder reisefähig sind.«

Laird blickte Kati an und fühlte, wie ihr Arm ihn enger umfaßte.

»Tun Sie mir einen Gefallen, Alder«, sagte Laird leise. »Telegrafieren Sie ihm, ich hätte einen Rückfall bekommen.«

Kurz darauf gingen sie zum Krankenwagen zurück.

**Goldmann
Verlag
München**

**Martin Russel
Doppeltes Spiel**

Peter Connors, Journalist bei
einer Londoner Zeitung, hat
zwei Freundinnen. Für die eine
soll er einen Mord begehen –
und er ist auch bereit dazu.
Nicht zuletzt deshalb, weil er
das versprochene Geld
braucht, um der anderen
Freundin imponieren zu
können . . .

Rote Krimi. (4685)
Deutsche Erstveröffentlichung.

**Hilda Van Siller
Ein guter alter Freund**

Seit Anne mit dem Architekten
Tony Lanham verheiratet ist,
sind die bösen Erinnerungen an
ihre erste Ehe verblaßt. Doch
dann taucht ein „alter Freund"
auf, und mit ihm der erneute
Verdacht, Anne könnte ihren
ersten Mann ermordet haben . . .

Rote Krimi. (4686)
Deutsche Erstveröffentlichung.